Therapie
von Schilddrüsenerkrankungen

Peter Pfannenstiel

2. völlig neu bearbeitete und erweiterte Auflage

HENNING BERLIN

grosse

Prof. Dr. med. Peter Pfannenstiel
Facharzt für Innere Krankheiten
Facharzt für Nuklearmedizin
Fachbereich Nuklearmedizin
Stiftung Deutsche Klinik für Diagnostik
Aukammallee 33, D-6200 Wiesbaden

CIP-Kurztitelaufnahme der Deutschen Bibliothek

Pfannenstiel, Peter:
Therapie von Schilddrüsenerkrankungen/Peter Pfannenstiel.
– 2., völlig neu bearb. u. erw. Aufl.
– Berlin: Henning; Berlin: Grosse, 1979.
ISBN 3-88040-018-0

Vorwort zur 2. Auflage

Wenn auch auf dem Gebiet der Therapie von Schilddrüsenerkrankungen Fortschritte in den letzten Jahren weniger spektakulär waren als auf dem Gebiet der einem raschen Wandel unterworfenen diagnostischen Verfahren, so haben sich doch aufgrund der uns heute zur Verfügung stehenden differenzierteren hormonanalytischen Methoden einerseits neue Auswahlkriterien für die eine oder andere Behandlungsform und andererseits neuere Strategien für den Einsatz der modernen labortechnischen Verfahren im Rahmen der Therapieüberwachung ergeben. Die neueren Erkenntnisse auf dem Gebiet der Diagnostik, aber auch neuere Erfahrungen auf dem Gebiet der Therapie von Schilddrüsenerkrankungen sowie zahlreiche Anregungen aus dem Leserkreis haben es sinnvoll erscheinen lassen, 4 Jahre nach der 1. Auflage in Ergänzung zu der 2. Auflage der „Diagnostik von Schilddrüsenerkrankungen"* auch die „Therapie von Schilddrüsenerkrankungen" gründlich zu überarbeiten. Text und Abbildungen wurden neu gestaltet, so daß ein völlig neues Buch entstanden ist.

Hierbei war es wie bei der 1. Auflage das Hauptziel, nicht den Spezialisten, sondern in erster Linie den Arzt in der Praxis und am Krankenbett über den aktuellen Stand der Behandlung von Schilddrüsenerkrankungen, für die meist eine Langzeittherapie notwendig ist, zu informieren. Eine Auswahl der wichtigsten neueren deutschsprachigen Publikationen wurde als Anhang dem Text beigefügt.

Mein Dank gilt Herrn Dr. H. E. Kirschsieper, Berlin, der wesentliche Vorarbeiten für die Realisierung der 2. Auflage erbrachte, Herrn H. Hoffmann, Berlin, für die Anfertigung der Graphiken, Herrn W. Becker, Berlin, für zahlreiche technische Hilfen, Herrn Dr. E. Scheiffele, Berlin, für seine vielfältige Unterstützung sowie Frau E.-M. Jahn, Wiesbaden, für die Niederschrift des Manuskriptes.

Wiesbaden, Juli 1979   Peter Pfannenstiel

---

* P. Pfannenstiel: „Diagnostik von Schilddrüsenerkrankungen", 2. Auflage, erschienen 1976 bei Byk-Mallinckrodt, Radiopharmazeutika-Diagnostika, von-Hevesy-Str. 1–3, D-6057 Dietzenbach-Steinberg (3. Auflage im Druck, September 1979).

Aus dem Vorwort zur 1. Auflage

Dem Wunsch, in Ergänzung zu meinem kürzlich erschienenen Büchlein „Diagnostik von Schilddrüsenerkrankungen" auch die „Therapie von Schilddrüsenerkrankungen" in einer praxisnahen Übersicht abzuhandeln, bin ich gerne nachgekommen. Denn dadurch, daß inzwischen mehr als 60 verschiedene Formen von Schilddrüsenerkrankungen gegeneinander abgegrenzt werden können, haben sich neue interessante Gesichtspunkte für das therapeutische Vorgehen ergeben.

Schilddrüsenerkrankungen können grundsätzlich medikamentös, operativ und/oder strahlentherapeutisch behandelt werden. Verständlicherweise besteht bei Internisten, Chirurgen und Strahlentherapeuten eine unterschiedliche Auffassung über die jeweils optimale Therapie. Jede der drei Therapieformen hat ihre Vor- und auch ihre Nachteile. Erfolgsaussicht, Dauer, Risikobelastung und nicht zuletzt individuelle Faktoren (wie Mitarbeit des Patienten) bestimmen die Wahl der z. T. konkurrierenden therapeutischen Verfahren.

Ohne Zweifel steht heute die Pharmakotherapie bei dem größten Teil der Schilddrüsenerkrankungen im Vordergrund. Sie ist im allgemeinen ambulant und mit relativ geringem Aufwand durchführbar. Die Erfolge sind meist eindrucksvoll. Durch die zahlreichen Möglichkeiten einer verfeinerten Schilddrüsendiagnostik ist die medikamentöse Therapie der Schilddrüsenerkrankungen auch für den niedergelassenen Arzt gut steuerbar.

Das vorliegende Buch soll wie die „Diagnostik von Schilddrüsenerkrankungen" vor allem der Orientierung in der täglichen Praxis dienen und wurde nicht für den Spezialisten geschrieben. Aus diesem Grunde wurde bewußt auf Zitate aus der einschlägigen Literatur verzichtet. Der Autor hat sich bemüht, aufgrund seiner langjährigen praktischen Erfahrungen die derzeitigen Möglichkeiten der Behandlung von Schilddrüsenerkrankungen hinsichtlich ihrer guten und weniger guten Seiten darzustellen.

Wiesbaden, Oktober 1975   Peter Pfannenstiel

Inhaltsverzeichnis

Verwendete Abkürzungen

DJT = Dijodtyrosin
EPF = Exophthalmus-produzierender Faktor
ETR = Effective thyroxine ratio
FT_3 = Freies Trijodthyronin
FT_4 = Freies Thyroxin
FT_4-Index = Parameter für das freie Thyroxin
HVL = Hypophysenvorderlappen
HWZ = Halbwertszeit
I. E. = Internationale Einheiten

$\left.\begin{array}{l} ^{123}J \\ ^{125}J \\ ^{131}J \end{array}\right\}$ = Radioaktive Jodisotope

$L\text{-}T_3$ = Linksdrehendes Trijodthyronin
$L\text{-}T_4$ = Linksdrehendes Thyroxin
LATS = Long acting thyroid stimulator
MJT = Monojodtyrosin
mCi = Milli-Curie
µCi = Mikro-Curie
µg = Mikrogramm
mg = Milligramm
ml = Milliliter
µU = Mikrounit
ng = Nanogramm
NTR = Normalized thyroxine ratio
RIA = Radioimmunoassay
RJT = Radiojodzweiphasentest
rT_3 = reverse-T_3
SAK = Schilddrüsenantikörper
SD = Schilddrüse
TBG = Thyroxin-bindendes Globulin
T_3 = Trijodthyronin
T_4 = Tetrajodthyronin (Kurzform: Thyroxin)
^{99m}Tc = ^{99m}Tc-Pertechnetat
TRH = Thyreotropin Releasing Hormon
TSH = Thyreoidea-stimulierendes Hormon
TSI = Thyroid stimulating immuno-globulins

1 Einleitung

More than 10% of popul.

Der Kropf ist in der Bundesrepublik endemisch. Nach jüngeren Untersuchungen schätzt man, daß etwa 10 Millionen Bundesbürger den „Körperfehler" Kropf haben. Mit einer durchschnittlichen *Kropfhäufigkeit von 15 %* (Abb. 1) stehen in der Bundesrepublik die Schilddrüsenerkrankungen an der Spitze der endokrinen Krankheiten. Die Hyperthyreose kommt bei etwa 2 %, die Hypothyreose bei etwa 1 % der Bevölkerung vor. Diese Häufigkeit entspricht dem Vorkommen des Diabetes mellitus. Die chronische Thyreoiditis kommt etwa gleich häufig wie die Hyperthyreose vor. Andere Thyreoiditisformen und maligne Entartungen der Schilddrüse sind mit weniger als 0,5 % selten.

Insgesamt werden heute 26 Schilddrüsenkrankheiten (mit 51 Unterformen) gegeneinander abgegrenzt. Ziel dieses Buches ist es, die modernen Erkenntnisse der Therapie von Schilddrüsenerkrankungen darzustellen und damit die Betreuung Schilddrüsenkranker zu verbessern.

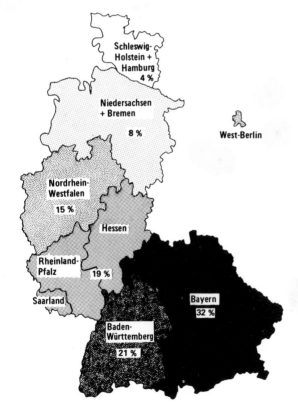

Schleswig-
Holstein +
Hamburg
4 %

Niedersachsen
+ Bremen

8 %

West-Berlin

Nordrhein-
Westfalen

15 %

Hessen

Rheinland-
Pfalz   19 %

Saarland   Bayern
                            32 %

Baden-
Württemberg

21 %

Abbildung 1
Kropfhäufigkeit in der
Bundesrepublik Deutschland.
Durchschnittlich jeder
6. Bundesbürger hat den
Körperfehler „Kropf"
(mit freundlicher Empfehlung
des Verlages aus P. Pfannenstiel „Ärztlicher Rat für
Schilddrüsenkranke",
Thieme-Verlag Stuttgart,
1977, 2. Auflage in Vor-
bereitung).

2 Funktion der Schilddrüse

Um die vielfältigen Erkrankungen der Schilddrüse und ihre Behandlungs-
möglichkeiten zu verstehen, werden zunächst die physiologischen Grund-
lagen besprochen.

2.1 Jod als Hormonbaustein

Die Schilddrüsenhormone sind die einzigen Substanzen des menschlichen
Körpers, die Jod enthalten und damit auf das Vorhandensein von Jod
angewiesen sind. Das Jod muß mit dem Wasser und der Nahrung aufgenommen werden. *Der tägliche Jodbedarf der Schilddrüse liegt zwischen
100 und 150 µg.* Die Jodaufnahme aus der Nahrung schwankt sehr stark.
In Gegenden mit Jodmangel kann sie auf 10 µg pro Tag absinken.

daily I uptake must be 100 - 150 µg.

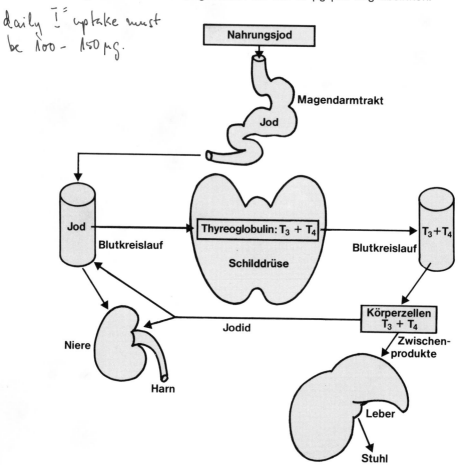

Abbildung 2

Das mit der Nahrung bzw. mit dem Wasser aufgenommene Jod wird als Jodid sehr rasch über den Magen-Darm-Kanal in das Blut aufgenommen, mit dem es in die Schilddrüse gelangt. Der Jodstoffwechsel ist in Abbildung 2 schematisch dargestellt.

In der Schilddrüse werden die beiden Schilddrüsenhormone L-Trijodthyronin und L-Thyroxin gebildet und je nach Bedarf aus dem Thyreoglobulin an die Blutbahn abgegeben. Das beim Hormonabbau in den Körperzellen freiwerdende Jodid geht wiederum in den Jodkreislauf ein. Zum Teil wird es über die Nieren ebenso wie das mit der Nahrung aufgenommene Jod ausgeschieden. Ein geringer Teil des Jodids und der Hormonmetaboliten wird über den Stuhl ausgeschieden.

2.2 Biosynthese der Schilddrüsenhormone

Der Vorgang der Schilddrüsenhormonsynthese ist in Abbildung 3 dargestellt. Das Jodid wird aktiv durch die Basalmembran der Follikelepithelien der Schilddrüse (Thyreozyten) aus dem zirkulierenden Blut extrahiert.

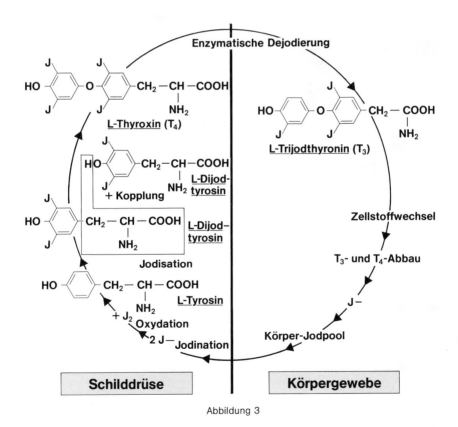

Abbildung 3

3

Dieser Vorgang wird Jodination genannt. Es folgt die Oxydation des Jods zu J_2 und der Einbau in die Aminosäure Tyrosin, wodurch der Hormonvorläufer Dijodtyrosin entsteht. Dieser Vorgang wird Jodisation genannt. Durch Kopplung von zwei Dijodtyrosinmolekülen entsteht im Thyreoglobulin-Molekül-Verband das Schilddrüsenhormon L-3,5,3',5'-Tetrajodthyronin mit der Kurzbezeichnung L-Thyroxin ($L-T_4$).

Das zweite Schilddrüsenhormon, das L-3,5,3'-Trijodthyronin ($L-T_3$) entsteht entweder durch Kondensation von einem Monojodtyrosin- und einem Dijodtyrosin-Molekül, wahrscheinlich aber durch intrathyreoidale enzymatische Monodejodierung von Tetrajodthyronin.

Die beiden Schilddrüsenhormone Thyroxin und Trijodthyronin werden im Kolloid der Schilddrüse gespeichert. Die Schilddrüse unterhält im Thyreoglobulin einen Jodvorrat von etwa 5–10 mg, der für etwa 2–3 Monate zur Schilddrüsenhormonproduktion ausreicht, wohl als Anpassung an die unregelmäßige Jodzufuhr mit der Nahrung. Auch der Vorrat der Schilddrüsenhormone reicht etwa für 2 Monate.

2.3 Sekretion der Schilddrüsenhormone

Entsprechend den Bedürfnissen des menschlichen Organismus gibt die Schilddrüse – nach Proteolyse des Thyreoglobulin durch eine Protease – $L-T_4$ und $L-T_3$ an die Blutbahn ab. Dieser Vorgang wird Hormoninkretion genannt (Abb. 4).

Bei ausreichender Jodzufuhr sezerniert die gesunde Schilddrüse täglich im Mittel 90 µg L-T_4 und 9 µg L-T_3 (Abb. 4). Weitere 26 µg T_3 entstehen durch Dejodierung des T_4 in den Körperzellen (Abb. 3 und Abb. 4).

Daneben entsteht inaktives, sog. reverse-T_3 (rT_3) in einer Menge von 35 µg pro Tag. Durch eine bedarfsgerechte Regulation der Biotransformation von T_4 zu T_3 ist der Organismus in der Lage, das für die Stimulation der von Schilddrüsenhormon abhängigen Stoffwechselvorgänge benötigte aktive Hormon $L-T_3$ bereitzustellen, oder – bei geringerem Bedarf an aktivem Schilddrüsenhormon – die Monodejodierung von T_4 zu inaktivem „reverse-T_3" zu lenken.

Wegen seiner geringeren biologischen Wirksamkeit und des in der Körperperipherie ablaufenden Aktivierungsmechanismus durch Konversion zu T_3 wird L-Thyroxin auch als „Prohormon" bezeichnet.

2.4 Schilddrüsenhormone im Blut

Im zirkulierenden Blut werden T_4 und T_3 an Transporteiweißkörper gebunden, vor allem an das thyroxinbindende Globulin (TBG) (Abb. 5). Nur 0,03% des T_4 liegen als freies T_4 (FT_4) vor. Die Bindung des T_3 an die Transporteiweißkörper ist schwächer, so daß 0,3% des T_3 als freies T_3 (FT_3) vorliegen. Die freien Hormonanteile stehen mit dem an Plasmaproteine gebundenen inaktiven Anteil im Gleichgewicht.

4

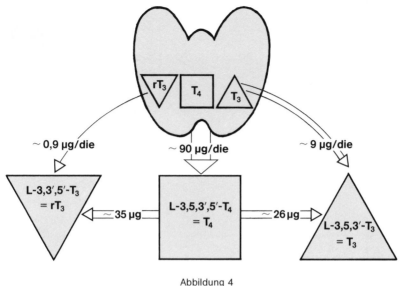

Abbildung 4

Wegen der schwächeren Bindung ist der biologische Abbau bei T_3 wesentlich rascher. Während die biologische Halbwertszeit für T_4 etwa 190 Stunden beträgt, beträgt diese für T_3 nur etwa 19 Stunden.

2.5 Steuerung der Schilddrüsenhormonsynthese

Die Hormonproduktion in der gesunden Schilddrüse wird durch zwei Systeme gesteuert, und zwar

– durch die zentrale Steuerung über TSH und
– über die homöostatische Regulierung durch Jodid.

Die zentrale Steuerung erfolgt über das Thyreotropin Releasing Hormon (TRH), das über das portale System aus dem Hypothalamus in den Hypophysenvorderlappen (HVL) eingeschleust wird und hier die Synthese sowie Sekretion von Thyreoidea stimulierendem Hormon (TSH) induziert. TSH stimuliert alle Stufen der Schilddrüsenhormonbildung und -abgabe.

Die Hormonproduktion paßt sich dem Bedarf an und wird über einen negativen Rückkopplungsmechanismus, der in Abbildung 5 dargestellt ist, reguliert. *Steuerungsgrößen* dieses Regelkreises *sind die Konzentrationen an freien Schilddrüsenhormonen* FT_3 und FT_4 im Serum. Sinkt der Spiegel an freiem Schilddrüsenhormon im Serum ab, kommt es zu einer vermehrten TSH-Ausschüttung und damit zu einer Korrektur des Schilddrüsenhormon-

5

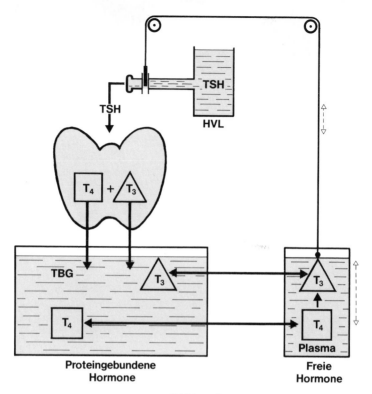

Abbildung 5

mangels. TRH moduliert dieses Steuerungssystem, ohne direkt in die Steuerung einzugreifen.

Ein Anstieg des anorganischen Jods im Blut hemmt über den sog. *Wolff-Chaikoff-*Effekt, einem autoregulatorischen Mechanismus, eine unbegrenzte, direkt von der Jodzufuhr abhängige Hormonsynthese.

2.6 Wirkung der Schilddrüsenhormone

Schilddrüsenhormone werden in den Körperzellen nicht nur gebunden, sondern auch metabolisiert. Die Beziehung zwischen Hormonabbau und Hormonwirkung ist noch nicht klar.

Freies Thyroxin und vor allem freies Trijodthyronin werden wahrscheinlich bevorzugt in den Mitochondrien der Körperzellen aufgenommen, wo sie durch gesteigerte Produktion von Adenosintriphosphat die vom Organismus benötigte Energie bereitzustellen helfen.

Bei einem Angebot von 50–200 μg Thyroxin wird eine „euthyreote" Stoffwechsellage aufrechterhalten.

6    $T_4 + T_3$ are taken up by mitochondria and help to increase the ATP production.

Die Wirkung der Schilddrüsenhormone führt zu einer Steigerung des Verbrauchs an Sauerstoff sowie der Produktion an Wärme und damit zur Erhöhung des Grundumsatzes. Der Kohlenhydratstoffwechsel wird im Sinne einer vermehrten Glykogenbildung und erhöhten Glukoseresorption beeinflußt. Thyroxin und Insulin sind Antagonisten. Der Insulinbedarf steigt durch endogen und exogen zugeführtes Thyroxin. Bei der Hypothyreose ist die Wirkung des Insulins verstärkt. Enge Beziehungen bestehen zwischen Thyroxin und Adrenalin bei der Mobilisierung und dem Verbrauch der Glukose. Im Eiweißstoffwechsel ist bei physiologischen Dosen an Schilddrüsenhormonen eine anabole Wirkung, unter hohen Dosen eine negative Stoffwechselbilanz nachzuweisen. Die Stickstoffausscheidung ist beim Myxödem gegenüber der Norm erniedrigt. Sie wird durch die Behandlung mit Schilddrüsenhormon erhöht. Eine Hyperthyreose führt durch die katabole Wirkung auf die Muskulatur zu einer Vermehrung der Kreatin- und zu einer Verminderung der Kreatininausscheidung. Das Umgekehrte ist bei der Hypothyreose der Fall.

Im Fettstoffwechsel werden die Synthese und insbesondere der Abbau des Cholesterins und die Lipolyse beschleunigt. Es besteht ein sehr enges Zusammenwirken zwischen dem Kohlenhydrat- und dem Fettstoffwechsel. Zu den ersten Zeichen einer beginnenden Hyperthyreose gehört die Fettabnahme im Muskel, in der Leber und in der Haut, ohne Ketonämie oder Ketonurie. Der Cholesteringehalt des Blutes ist bei der Hypothyreose meistens erhöht, bei der Hyperthyreose dagegen vermindert.

Schilddrüsenhormone greifen auch in den Mineralstoffwechsel und in den Wasserhaushalt ein. Das Plasmavolumen ist bei Hypothyreose vermindert, der Eiweißgehalt der extrazellulären Flüssigkeit erhöht. Es tritt eine Wasserretention vor allem in der Unterhaut auf. Bei der Hypothyreose erhöht Thyroxin die Natriumausscheidung. Der Umsatz an Wasser ist bei der Hyperthyreose gesteigert. Kalzium- und Phosphatumsatz sind bei der Hyperthyreose vermehrt und bei der Hypothyreose vermindert. Im Kindesalter sind Bildung der Knochenkerne, Verknöcherung der Knorpelzonen und Zahnwechsel je nach dem Ausmaß der Hypothyreose gestört.

Bei Hypothyreose können sich sowohl an der quergestreiften als auch an der glatten Muskulatur schwere pathologisch-anatomische Veränderungen einstellen. Bekannte Symptome der Hyperthyreose sind Muskelschwäche und erhöhte Ermüdbarkeit. Allgemein gilt es, daß die Hyperthyreose zu Myasthenie-ähnlichen, die Hypothyreose dagegen zu Myotonie-ähnlichen Symptomen führt.

Die Schilddrüsenhormone sensibilisieren die Peripherie gegenüber dem Angriff der Katecholamine Adrenalin und Nor-Adrenalin. Sie setzen die Erregbarkeitsschwelle im vegetativen Nervensystem herab. Bei der Hyperthyreose beobachtet man daher eine Tachykardie, Pupillenerweiterung, Schweißausbruch, vermehrte Darmperistaltik, Tremor, Schlaflosigkeit etc.

Weitere Rückwirkungen der Schilddrüsenhormone auf das Zentralnerven-system sind Erregbarkeit, Reizbarkeit, Unruhe, innere Spannung sowie Ängstlichkeit. Psychomotorische Hemmung, chronisch verlaufende depressive Verstimmung finden sich dagegen bei der Hypothyreose.

Das Herzminutenvolumen ist bei der Hyperthyreose bis auf das Doppelte erhöht. Die Blutdruckamplitude wird dementsprechend vergrößert. Bei älteren Patienten kann die Hyperthyreose zu einer Herzinsuffizienz führen. Bei Hypothyreose ist die Pulsfrequenz herabgesetzt.

Schließlich bestehen neben den Wechselbeziehungen zwischen der Schilddrüse und der Hypophyse auch Wechselbeziehungen zwischen den Keimdrüsen und der Nebenniere. Amenorrhoe, Dysmenorrhoe und habitueller Abort können sowohl mit einer Hyper- als auch mit einer Hypothyreose verknüpft sein. Schilddrüse und Nebennierenrinde arbeiten insofern gleichsinnig, als die Schilddrüse normalerweise die Aktivität behält, die eine optimale Funktion der Nebennierenrinde ermöglicht und umgekehrt. Bei länger andauernden Hyper- und Hypothyreosen kann eine Erschöpfung der Nebennierenrinde eintreten mit dem daraus resultierenden Bild einer relativen Nebennierenrindeninsuffizienz.

Der Abbau der freien Schilddrüsenhormone vollzieht sich vor allem in Leber, Niere und Muskulatur über eine Dejodierung und Konjugation mit Glucuronsäure oder Schwefelsäure bzw. eine oxydative Desaminierung und Decarboxylierung.

Infolge der engen funktionellen Verbindungen zwischen der Schilddrüse und anderen Organen führen abnormale Hormonkonzentrationen zu einer Vielfalt von Erscheinungen, die eine Hypo- oder Hyperthyreose charakterisieren. Von Bedeutung ist, ob eine Störung einen noch wachsenden oder bereits reifen Organismus trifft. Bei einer Hypothyreose im Kindesalter ist das Körperwachstum gehemmt. Umgekehrt findet man bei einer Hyperthyreose ein vermehrtes Längenwachstum und gelegentlich sogar eine vorzeitige Verkalkung der Epiphysenknorpel. Ein erhöhter Hormonbedarf besteht in der Pubertät und in der Schwangerschaft.

3 Untersuchung der Schilddrüsenfunktion

Für die Diagnostik von Schilddrüsenerkrankungen wurden in den letzten Jahren zahlreiche neue Methoden entwickelt, die für die Auswahl therapeutischer Maßnahmen und die Überwachung der Therapie nicht unberücksichtigt bleiben können.

Damit ein optimaler Therapieplan erarbeitet werden kann, muß mehr als eine Gruppendiagnose wie blande Struma mit Euthyreose, Hyperthyreose, Hypothyreose, Thyreoiditis oder Schilddrüsenmalignom gestellt werden. Im Einzelfall ist dies jedoch nicht immer bis in alle Details der in der Klassifikation der Schilddrüsenerkrankungen zusammengefaßten Formen (Dtsch. med. Wschr. 98 [1973] 2249) erforderlich. Die nachfolgend kurz skizzierten Untersuchungsmethoden sind ausführlich in der im Vorwort erwähnten Broschüre „Diagnostik von Schilddrüsenerkrankungen" abgehandelt.

3.1 Vorgeschichte und körperlicher Befund

Es gibt keine pathognomonische Kombination von Symptomen, welche eine Schilddrüsenfunktionsstörung sicher erkennen läßt. Trotzdem sind die nachfolgend kurz beschriebenen Schilddrüsenfunktionsteste nur im kritischen Vergleich mit einer speziellen Schilddrüsenanamnese und dem körperlichen Befund zu interpretieren.

Im allgemeinen lassen spezielle Vorgeschichte und körperliche Befunde den ersten Verdacht auf eine Schilddrüsenkrankheit aufkommen.

Im Mittelpunkt der *Anamnese* sollten daher Fragen zur Beurteilung der Stoffwechsellage stehen: Hyperthyreosen ohne kurzfristige Abnahme des Körpergewichts trotz guten Appetits sind große Ausnahmen, während hypothyreote Patienten keineswegs an Körpergewicht zunehmen müssen. Hyperthyreosen führen häufig zu Diarrhöen, Hypothyreosen zu Obstipation. Die Wärmeintoleranz ist ein wesentliches positives Hinweiszeichen für eine Hyperthyreose, während eine Kälteintoleranz für eine Hypothyreose spricht. Motorik und Affektivität sind bei Hyperthyreosen stets gesteigert, bei Hypothyreosen immer verlangsamt.

Bei Beschwerden im Bereich der Schilddrüse interessiert die Entstehung der Struma und der Zusammenhang der lokalen Beschwerden mit möglichen vorausgegangenen therapeutischen Maßnahmen. Vor jeder klinischen Diagnose sollte man noch einmal kritisch die Medikamentenanamnese aufnehmen und zusätzlich nach der Applikation jodhaltiger Medikamente und jodhaltiger Röntgenkontrastmittel fragen. Jodinkorporationen haben Bedeutung für die Interpretation von Laboratoriumswerten und für die Therapie.

Beim *klinischen Befund* interessieren Körpergröße, Körpergewicht, ob der Patient unruhig, träge oder depressiv wirkt, ob die Haut an den Händen und Unterarmen normal, feucht, warm, zart oder trocken, kühl, rauh, pastös und fest ist, ob ein Tremor der ausgestreckten Finger besteht, ob das Reflexverhalten normal ist oder ob eine Hyperreflexie oder eine Hyporeflexie besteht. Es interessieren ferner der Blutdruck und die Pulsfrequenz, da eine große Blutdruckamplitude und eine Ruhetachykardie von über 100 Schlägen pro Minute für eine hyperthyreote Stoffwechsellage sprechen, während eine hypoton-orthostatische Kreislaufregulationsstörung und eine respiratorische Arrhythmie eine Hyperthyreose weitgehend ausschließen.

Der Befund einer intensiven *Inspektion bzw. Palpation der Halsregion* ist wichtig. Die Konsistenz der Schilddrüse muß genau beschrieben werden. Eine einknotige Struma sollte sicher von einer mehrknotigen differenziert werden. Außerdem wird festgehalten, ob eine Ruhedyspnoe besteht, ein Stridor, ein Schwirren, eine Halsvenenstauung und ob lokale Veränderungen wie Hautrötung, Ödem, regionäre Lymphknotenschwellungen vorhanden sind. Schließlich interessiert eine Verdrängung und (oder) Kompression von Kehlkopf und Trachea bzw. Ösophagus.

Bei Patienten mit Verdacht auf eine Hyperthyreose sollte auf das Vorliegen endokriner Augenzeichen geachtet werden.

Am Ende der Patientenbefragung und als Abschluß der speziellen klinischen Untersuchung sollte vom Untersucher eine vorläufige Diagnose gestellt werden, schon allein für eine sinnvolle Auswahl des diagnostischen und therapeutischen Programms. Der klinische Befund sollte immer durch objektive Laboratoriumsteste abgesichert werden, da diese Befunde auch für die Wahl einer optimalen Therapie sowie deren Kontrolle unerläßlich sind.

3.2 In-vitro-Schilddrüsenfunktionsteste

Je nach individueller Situation ist eine Auswahl mehrerer Verfahren zur Ergänzung des klinischen Befundes erforderlich. Im Serum kann die Konzentration der Schilddrüsenhormone T_4 und T_3, des freien Thyroxins (FT_4) und der Gehalt an thyroxinbindendem Globulin (TBG) sowie TSH direkt gemessen werden. Alle Reaktionen spielen sich im Reagenzglas (in vitro) ab. Die In-vitro-Tests sollten stufenweise zum Einsatz kommen, und zwar in Abhängigkeit von der klinischen Verdachtsdiagnose.

3.2.1 T_4-Test

Die Bestimmung des Gesamtthyroxins (T_4) im Serum kann durch die kompetitive Proteinbindungsanalyse, einen Radioimmunoassay oder einen Enzymimmunoassay erfolgen. Der T_4-RIA ist die zur Zeit am meisten angewandte Methode zur Bestimmung des Gesamtthyroxins im Serum. *Der T_4-Test stellt den Basistest in der Schilddrüsendiagnostik dar,* da alle Schilddrüsenerkrankungen durch eine Änderung der Produktions- und Sekretionsraten eine Erhöhung bzw. Erniedrigung der T_4-Spiegel im Serum verursachen. Weitere Meßwerte sind bei sicher normalen bzw. deutlich hyperthyreoten

T_4-Werten entbehrlich. Bei fraglichem Ergebnis des T_4-Testes und unsicherer klinischer Diagnose sind zunächst extrathyreoidale Störfaktoren auszuschließen.

Normalbereich:* 5,0–12,0 µg/dl Serum, } $\left. \right\}$ $\bowtie T_4$
65–155 nmol/l Serum. }

3.2.2 Parameter für das freie Thyroxin

Die freien Schilddrüsenhormonfraktionen werden von der Schilddrüse bei Änderung der TBG-Spiegel durch eine kompensatorische Mehr- oder Mindersekretion konstant gehalten. *Die Ermittlung der Konzentration an freien Schilddrüsenhormonen ist erforderlich, wenn mit einer Veränderung der Bindungsfähigkeit und Konzentration der Transportproteine zu rechnen ist.* Dies ist der Fall bei Gravidität, hochdosierter Östrogen-Medikation, akuter chronischer Hepatitis, kompensierter und dekompensierter Leberzirrhose, angeborener Vermehrung und Verminderung der TBG-Konzentration, akuter intermittierender Porphyrie, Nephrose, Proteinverlust-Syndromen, Gabe von Testosteron, Phenylbutazon, Diphenylhydantoin, Salizylaten, Heparin sowie bei allen schweren chronischen extrathyreoidalen Erkrankungen. Bei Veränderungen der Konzentration der Bindungsproteine, aber normaler Schilddrüsenfunktion, ist die Konzentration an freiem Thyroxin normal. Die Ermittlung der freien Schilddrüsenhormonkonzentrationen ist möglich durch

a) *indirekte Verfahren*
wie den sog. T_3-Uptake-Test, bzw. Modifikationen dieses Testes wie FT$_4$-Index, T_7-Index, ETR-Test, NTR-Test u. a., oder durch die Bestimmung des Quotienten T_4/TBG. Die Bestimmung des thyroxinbindenden Globulins erfolgt hierbei wie die T_4-Bestimmung durch einen Radioimmunoassay.

b) *direkte Verfahren* FT$_4$ + total thyroxin!
Die Konzentration an freiem Thyroxin kann direkt durch einen Radioimmunoassay ermittelt werden. In einem Arbeitsgang kann gleichzeitig das Gesamtthyroxin mitbestimmt werden.

Obwohl TBG und freies Thyroxin durch direkte RIA-Methoden bestimmt werden können, stellen die indirekten Methoden nach wie vor einfache und praktikable Verfahren dar. Alle hier erwähnten Methoden ermöglichen eine eindeutigere Differenzierung zwischen Euthyreose einerseits und Hypo- bzw. Hyperthyreose andererseits.

---

* Die hier angegebenen Normalbereiche gelten für die vom Verfasser angewandten Methoden. Jede Untersuchungsstelle muß Normalwerte für die von ihr angewandten Verfahren und für ihr Einzugsgebiet an einer ausreichend großen Zahl von schilddrüsengesunden Probanden ermitteln sowie laufende Qualitäts- und Richtigkeitskontrollen anhand von Referenzseren durchführen.

Wegen der Vielzahl der zur Verfügung stehenden Verfahren werden keine Normalbereiche angegeben.

3.2.3 T₃-RIA

Die Bestimmung des Gesamttrijodthyronins (T₃) im Serum ist bisher nur radioimmunologisch möglich. Das Verfahren besitzt in erster Linie dann diagnostische Bedeutung, wenn eine gesteigerte Hormonproduktion nur in einer Erhöhung der T₃-Konzentration zum Ausdruck kommt. Dieses gilt für einen kleinen Teil hyperthyreoter Zustände vom Typ des Morbus Basedow (sog. T₃-Hyperthyreose), für den größeren Teil autonomer Adenome und in der Frühphase eines Hyperthyreoserezidivs.

Daß eine Hypertrijodthyroninämie nicht mit einer Hyperthyreose gleichbedeutend ist, geht aus der Beobachtung erhöhter T₃-Spiegel bei Jodmangelstrumen, (Hashimoto-) Thyreoiditis und sogar Hypothyreosen hervor. In diesen Fällen versucht die insuffiziente Schilddrüse durch die kompensatorische Mehrproduktion des jodärmeren, stoffwechselaktiveren T₃ eine euthyreote Stoffwechsellage aufrechtzuerhalten. Da darüber hinaus wegen der schwachen TBG-Bindung der Anteil des T₃ im Blut nur etwa 10 % am extrathyreoidalen Hormonpool beträgt, kann *die T₃-Bestimmung nicht zum Basisprogramm einer Schilddrüsenuntersuchung* gehören, zumal die Konzentration des Trijodthyronin zusätzlich von zellulären Mechanismen (Konversion von Thyroxin zu Trijodthyronin) beeinflußt wird (s. S. 4).

Bei der Mehrzahl der Hyperthyreosen vom Typ des Morbus Basedow sind sowohl Thyroxin- als auch Trijodthyroninspiegel erhöht, so daß hier die Bestimmung der Thyroxinkonzentration ausreicht. Auf der anderen Seite ist die Bestimmung des Trijodthyronins für die Therapiekontrolle bei Hyperthyreose von entscheidender Bedeutung, so daß auch vor Einleitung einer Behandlung der Trijodthyroninspiegel bestimmt werden sollte.

Normalbereich: 0,08–0,2 µg/dl Serum,
1,2–3,1 nmol/l Serum.

3.2.4 TSH-RIA

Die alleinige radioimmunologische Bestimmung des Spiegels an Thyreoidea-stimulierendem Hormon (TSH) im Serum hat derzeit nur für die Diagnose der relativ seltenen primären, d. h. thyreogenen Hypothyreose Bedeutung. Durch methodische Unzulänglichkeiten kann noch nicht zwischen euthyreoten und hyperthyreoten Seren unterschieden werden.

Der Test hat ferner Bedeutung zur Ermittlung der minimalen Schilddrüsenhormondosis bei der Suppressionstherapie mit synthetischem Schilddrüsenhormon, z. B. wegen Struma mit Euthyreose, nach Schilddrüsenoperation u. a., wenn Unverträglichkeitserscheinungen bei der Gabe der Standardhormondosen festgestellt werden.

Normalbereich: 0–6 µU/ml Serum.

3.2.5 TRH-Test

Die radioimmunologische Bestimmung des TSH im Serum hat vor allem Bedeutung für den TRH-Test. Hierbei wird nach intravenöser Gabe von 200 µg (oder 400 µg) Thyreotropin Releasing Hormon (TRH)* 30 Minuten später Blut für eine erneute TSH-Bestimmung abgenommen. Ein fehlender Anstieg des TSH nach TRH spricht für eine hyperthyreote Stoffwechsellage, ein Anstieg um mehr als 2–3 µU/ml für eine euthyreote Stoffwechsellage, ein überschießender Anstieg für eine subklinische oder ein besonders starker Anstieg um mehr als 25 µU/ml für eine manifeste primäre, d. h. thyreogene Hypothyreose (Abb. 6).

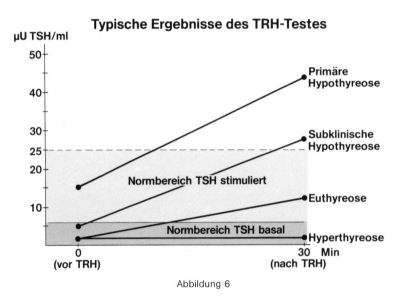

Abbildung 6

Wenn bei älteren Patienten nach intravenöser TRH-Gabe kein meßbarer Anstieg des TSH-Spiegels registriert werden konnte, kann es nach oraler Gabe von 40 mg TRH nach 4 Stunden durchaus noch zu einem meßbaren Anstieg des TSH-Spiegels kommen.

Das entscheidende Kriterium, welches den TRH-Test in seiner Aussagekraft über alle anderen In-vitro-Parameter für die Schilddrüsendiagnostik stellt, ist der Umstand, daß dieser Test keine Absolutwerte verlangt, sondern als qualitativer Test sichere Urteile erlaubt.

Bei dieser Untersuchungsmethode erfolgen nicht nur Hormonspiegelmessungen, sondern es wird auch der biologische Effekt der Schilddrüsenhormonkonzentrationen an den Zellen des Hypophysenvorderlappens und

---

* Bei Kindern 7 µg TRH/kg Körpergewicht.

somit die tatsächliche Stoffwechsellage erfaßt. Die Blockade der TSH-Sekretion durch erhöhte freie Schilddrüsenhormonkonzentrationen im Hypophysenvorderlappen ist so empfindlich, daß beginnende bzw. sehr leichte Hyperthyreosen durch einen negativen TRH-Test bereits erfaßt werden können, wenn klinische Symptomatik und Schilddrüsenhormonkonzentrationen im Serum noch unauffällig sind. Besonders in endemischen Kropfgebieten finden sich negative TRH-Teste in bis zu 20 % der Fälle bei Patienten mit Struma und euthyreoter Stoffwechsellage auch dann, wenn szintigraphisch kein autonomes Gewebe nachzuweisen ist. Die Ursache liegt wahrscheinlich in autonomen Mikroadenomen, in deren Frühstadium der TRH-Test allerdings auch noch positiv ausfallen kann (s. Abb. 22).

Der TRH-Test hat seine Hauptbedeutung für die Früherkennung einer Störung des Regelkreises Hypophyse-Schilddrüse, dagegen weniger Bedeutung für die Verlaufsuntersuchungen, da der TRH-Test nach erfolgreicher Behandlung einer Hyperthyreose bis zu mehreren Jahren negativ ausfallen kann.

3.2.6 Schilddrüsenantikörper

Von den heute bekannten 6 schilddrüsenspezifischen Antigen-Antikörper-Systemen haben in der klinischen Praxis nur die folgenden eine wesentliche Bedeutung:

a) *Thyreoglobulinantikörper*
b) *mikrosomale Antikörper*

Beide Antikörper werden mit Agglutinationstests mit Hilfe Tannin-vorbehandelter Erythrozyten, die mit Thyreoglobulin bzw. mikrosomalem Antigen beladen sind, nachgewiesen. Die Wertigkeit der radioimmunologischen Verfahren zur Bestimmung der Antikörper muß noch geprüft werden.

Hohe Titer beider Antikörper sprechen für eine Autoimmunthyreoiditis. Hohe Titer von Antikörpern gegen Thyreoglobulin und niedrige Titer gegen das Mikrosomenantigen werden als typisch für die fibröse Verlaufsform der Struma lymphomatosa Hashimoto angegeben, während bei der häufigeren hyperzellulären Variante die mikrosomalen Antikörper überwiegen. Niedrige Antikörpertiter schließen eine Autoimmunthyreoiditis nicht aus. Vorwiegend mikrosomale Schilddrüsenantikörper finden sich häufig bei der Hyperthyreose vom Typ des Morbus Basedow.

3.3 In-vivo-Schilddrüsendiagnostik

Im Gegensatz zu den In-vitro-Verfahren sind die nuklearmedizinischen In-vivo-Methoden zur Abklärung einer Schilddrüsenerkrankung mit einer Strahlenbelastung für den Patienten verbunden. Nach dem Grundsatz des „nil nocere" sollten jedoch in der Alltagsroutine bei der Anwendung von ionisierenden Strahlen Strahlenbelastungen nicht leichtfertig „verordnet"

werden. Aufgrund der verfeinerten In-vitro-Diagnostik von Schilddrüsenerkrankungen kann heute bei den meisten Patienten auf den Radiojodzweiphasentest verzichtet werden. Das Schwergewicht der nuklearmedizinischen Schilddrüsendiagnostik liegt heute bei der

3.3.1 Schilddrüsenszintigraphie

Durch die szintigraphische Darstellung der Schilddrüse ist es auf einfache,
nicht invasive Weise wie mit keinem anderen Verfahren möglich, Lage, Form
und Größe der Schilddrüse im Hals- und Mediastinalbereich zu dokumen-
tieren sowie eventuell vorhandene funktionelle Veränderungen innerhalb
der Schilddrüse als „heiße" (hyperaktive, meist autonome) oder „kalte"
(inaktive) Knoten darzustellen. Bei Verdacht auf eine Schilddrüsenerkrankung ist die Diagnostik ohne diese funktionell-morphologische Untersuchung unvollkommen. *Die Schilddrüsenszintigraphie* gehört daher außer
bei Schwangeren und Jugendlichen (mit rein diffusen Strumen) *zur Basisdiagnostik bei Verdacht auf eine Schilddrüsenerkrankung.*

Statt des langlebigen Radionuklids ^{131}J sollten kurzlebige Radionuklide wie
^{99m}Tc oder ^{123}J bis auf wenige Ausnahmen (z. B. Metastasensuche mit
^{131}J bei Struma maligna) benutzt werden. Beide Radionuklide können nach
der Blutentnahme für die In-vitro-Tests durch die ohnehin in die Armvene
des Patienten eingebrachte Kanüle injiziert werden. Bereits 15 Minuten
später ist eine detailreiche szintigraphische Abbildung der Schilddrüse
möglich. Die zunehmende Verwendung einer Gamma-Kamera für die
Schilddrüsenszintigraphie hat den Vorteil, daß z. B. für die bessere Erkennung autonomer Bezirke innerhalb der Schilddrüse eine quantitative Szinti-
grammauswertung möglich ist und außerdem die Szintigraphie mit der
Bestimmung der Jodidclearance oder eines Clearanceäquivalentes kombiniert werden kann.

Stehen diese Verfahren nicht zur Verfügung, sollte bei Verdacht auf ein
autonomes Adenom der Schilddrüse die Szintigraphie mit hochempfindlicher Geräteeinstellung („Übersteuerung") zum Nachweis perinodulären,
nicht der Autonomie unterliegenden Schilddrüsengewebes erfolgen (s.
Abb. 22). Der mit einem Risiko behaftete Stimulationstest mit TSH ist bei
dieser Technik nur selten erforderlich.

Da die Diagnose von nicht mit einer Hyperthyreose einhergehendem
autonomen Schilddrüsengewebe schwierig und die qualitative Szintigraphie
der Schilddrüse mit oder ohne Suppression nicht absolut verläßlich ist,
sollte eine quantitative Szintigraphie der Schilddrüse vor und nach Suppression für diese Fälle angestrebt werden.

Röntgenuntersuchungen von Thorax, Trachea, und Ösophagus sollten
zusätzlich zur Schilddrüsenszintigraphie bei Verdacht auf Kompressions-

erscheinungen, insbesondere aber vor geplanten Strumektomien durchgeführt werden.

3.3.2 Radiojodzweiphasentest

Das zur Markierung des Jodstoffwechsels verwandte ^{131}J hat eine physikalische Halbwertszeit von 8 Tagen, einen erheblichen β-Strahlenanteil und geht in die Synthese der Schilddrüsenhormone ein. Bei einer Spurendosis von nur 50 µCi beträgt die Strahlenbelastung der Patientenschilddrüse im Mittel bis zu 150 rad, und liegt damit um den Faktor 1.000 höher als bei Verwendung von 500 µCi ^{99m}Tc-Pertechnetat (physikalische Halbwertszeit 6 Stunden, fehlende β-Strahlung).

Die Verwendung des ^{131}J-Zweiphasentestes ist, solange ein kurzlebiges Jodisotop wie ^{123}J noch nicht allgemein zur Verfügung steht, nur noch bei widersprüchlichen Ergebnissen der In-vitro-Parameter zur Sicherung der Diagnose eines kompensierten autonomen Adenoms der Schilddrüse, vor allem aber zur Berechnung der für eine Radiojodtherapie erforderlichen ^{131}J-Menge sowie zur selten erforderlichen Darstellung von dystopem Schilddrüsengewebe angezeigt. *Im diagnostischen Stufenprogramm sollte der dreitägige Radiojodzweiphasentest heute die letzte Maßnahme unter dem Aspekt von Zeitgewinn und Vermeidung oder Reduktion der Strahlenbelastung des Patienten darstellen.*

3.3.3 Schilddrüsenzytologie

In den letzten Jahren wurde die Schilddrüsendiagnostik durch die Feinnadelpunktion der Schilddrüse mit anschließender zytologischer Untersuchung erweitert. Die schnell und ambulant durchführbare und komplikationslose Feinnadelpunktion ist von großer differentialdiagnostischer Hilfe. Denn die Malignomrate szintigraphisch „kühler" oder „kalter" Schilddrüsenknoten liegt unter 5 %.

Jeder szintigraphisch „kalte" Schilddrüsenbezirk sowie jeder klinisch auffällige Tastbefund sollte punktiert werden. Durch die Aspirationsbiopsie gelingt es nicht nur, benigne von malignen Tumoren zu differenzieren, sondern die unterschiedlichen Typen der Thyreoiditis und der Schilddrüsenkarzinome (s. Farbtafel III.2 und VII.1) wahrscheinlich zu machen, so daß hieraus therapeutische Konsequenzen abgeleitet werden können. Voraussetzung ist allerdings immer eine gute Punktionstechnik und vor allem ein erfahrener Zytologe.

Es handelt sich in erster Linie um eine morphologische Orientierungsuntersuchung. Sie hat für den Ausschluß bösartiger Befunde nur mit Einschränkung Beweischarakter und erfordert im Falle operativer Zurückhaltung dringend die fortlaufende Überwachungskontrolle. Jedoch kann generell gesagt werden, daß es sich bei den meisten Punktaten um gut-

artige Veränderungen (Zytogramm Gruppe I oder II), selten um entzündliche Veränderungen (Zytogramm Gruppe II) und extrem selten um bös-
artige Veränderungen (Zytogramm der Gruppen III, IV, V) handelt. Durch
den planmäßigen Einsatz der Zytodiagnostik szintigraphisch „kalter" Schilddrüsenareale sowie klinisch verdächtiger Schilddrüsenknoten ist es heute
nur noch bei etwa jedem 10. Fall erforderlich, eine Indikation zur chirurgischen Abklärung zu stellen, da bei den übrigen Fällen gutartige Prozesse
wie Zysten, Verkalkungen, Blutungen in das Schilddrüsengewebe sowie
lokalisierte Entzündungen innerhalb der Schilddrüse das von der Norm
abweichende Zellbild (Zytogramm der Gruppe I oder II) verursachen
(Abb. 7).

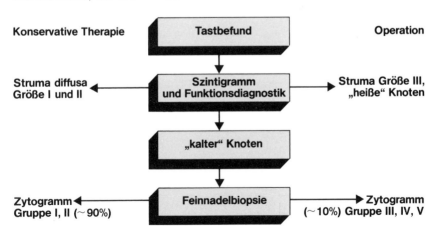

**Diagnostische Strategie
bei Strumen, für die klinisch keine absolute OP-Indikation besteht**

Konservative Therapie   Tastbefund   Operation

Struma diffusa ◄   Szintigramm   ► Struma Größe III,
Größe I und II   und Funktionsdiagnostik   „heiße" Knoten

„kalter" Knoten

Zytogramm ◄   Feinnadelbiopsie   ► Zytogramm
Gruppe I, II (~ 90%)   (~ 10%) Gruppe III, IV, V

Abbildung 7

17

3.4   Stufenprogramme für die Schilddrüsendiagnostik

Da die steigende Zahl von Untersuchungsanforderungen zur Sicherung oder zum Ausschluß einer Schilddrüsenerkrankung bzw. von Verlaufsuntersuchungen bei Behandlung von Schilddrüsenerkrankungen einen rationellen Testeinsatz erforderlich macht, wird abschließend ein Programm zum stufenweisen Einsatz der wichtigsten Tests für die Diagnostik von Schilddrüsenfunktionsstörungen (Abb. 8) sowie für die morphologische Diagnostik von Schilddrüsenerkrankungen (Abb. 9) zur Diskussion gestellt.

Diagnostik von Schilddrüsenfunktionsstörungen

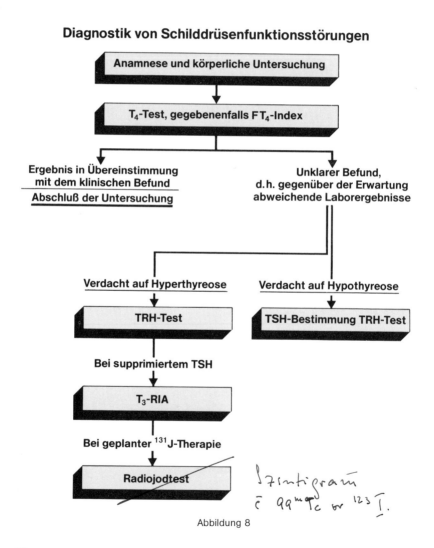

Abbildung 8

Nach Anamnese und körperlicher Untersuchung steht am Anfang der Schilddrüsendiagnostik die Bestimmung des Thyroxinspiegels im Serum, eventuell in Verbindung mit einer Messung eines Parameters für das freie Thyroxin. Bei noch unklarem Befund und Verdacht auf eine Über- bzw. Unterfunktion folgen gezielt die Bestimmung des TSH-TRH-Testes (s. Abb. 6), bei supprimiertem TSH die Bestimmung des Trijodthyroninspiegels. Nur in seltenen Fällen ist der Radiojodzweiphasentest noch angezeigt.

Diese Funktionsdiagnostik wird durch eine morphologische Diagnostik, d. h. ein Szintigramm der Schilddrüse, bevorzugt mit ^{99m}Tc oder ^{123}J, ergänzt. Je nach Ergebnis der Untersuchung schließen sich weitere Maßnahmen wie Bestimmung der Schilddrüsenantikörper, eine Feinnadelpunktion, Röntgenuntersuchung der Trachea, Suppressionstest oder übersteuertes Szintigramm u. a. an (Abb. 9).

Spezielle Stufenprogramme für die Abklärung der anschließend besprochenen Schilddrüsenerkrankungen finden sich in den einzelnen Kapiteln.

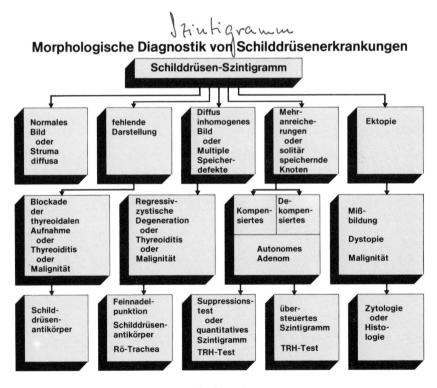

Abbildung 9

4 Prinzipien der Therapie mit Schilddrüsenhormonen

Alle Schilddrüsenerkrankungen bedürfen der Behandlung mit Schilddrüsenhormon, und dies aus zweierlei Gründen:

Einmal zur Suppression der TSH-Sekretion bei der blanden Struma mit Euthyreose, als Begleitmedikation bei der Gabe von Thyreostatika, bei endokriner Ophthalmopathie und nach Strumektomien bzw. Radiojodtherapien. Zum anderen zur Substitution des Schilddrüsenhormonmangels bei Hypothyreosen, Thyreoiditis, Thyreoidektomie (wegen Schilddrüsenmalignom).

Bei manchen Krankheitsbildern, wie z. B. bei der Behandlung des Schilddrüsenkarzinoms, sind Suppression der TSH-Sekretion und Substitution des Schilddrüsenhormonmangels gleichzeitig erforderlich.

Aus diesem Grunde soll der Besprechung der einzelnen Krankheitsbilder ein Kapitel über die Prinzipien der Schilddrüsenhormontherapie vorangestellt werden.

Nach wie vor umstritten ist die Frage, ob für eine Substitutions- und Suppressionsbehandlung mit Schilddrüsenhormon die beiden Hormone L-Thyroxin *und* L-Trijodthyronin erforderlich sind. Wie in Kapitel 2.3 erwähnt, produziert die gesunde Schilddrüse täglich etwa 90 µg Thyroxin und 9 µg Trijodthyronin.

Aus Präparaten mit synthetischem Schilddrüsenhormon mit optimaler Wirkstoff-Freisetzung wird Thyroxin zu 80 % und Trijodthyronin zu 100 % resorbiert. Die physiologische Sekretionsrate läßt sich danach am besten imitieren durch ein Präparat mit 100 µg L-Thyroxin und 10 µg L-Trijodthyronin pro Tablette, da die Schilddrüse T_4 und T_3 im Verhältnis 10 : 1 bereitstellt.

Bei der Einführung der z. Z. noch verbreiteten T_4/T_3(10 : 2)-Kombinationspräparate war jedoch noch nicht bekannt, daß der überwiegende Teil des täglich gebildeten Trijodthyronins durch periphere Konversion aus T_4 entsteht und nur etwa 10–15 % der T_3-Produktionsrate aus der Schilddrüse selbst stammen (Abb. 4). Radioimmunologische Messungen des T_3-Tagesprofils haben ferner gezeigt, daß das T_3 im Serum ohne wesentliche Tagesrhythmik konstant gehalten wird, während nach Gabe von Mischpräparaten unphysiologische Spitzen in der T_3-Konzentration auftreten, wodurch die unter Kombinationspräparaten relativ häufigen Nebenwirkungen zu erklären sein dürften. Aus diesem Grunde wird heute der

4.1 Monotherapie mit L-Thyroxin

der Vorzug gegeben. Denn das T_4 wird durch eine dem Bedarf der verschiedenen Gewebe angepaßte Monodejodierung im Mittel in ca. 25 µg T_3 und in ca. 35 µg reverse-T_3 (s. Abb. 4) umgewandelt. Durch diese Konversion wird der aktuelle Bedarf an stoffwechselaktivem T_3 in den Körperzellen gedeckt, während bei geringem Bedarf an metabolisch aktivem Hormon durch die Monodejodierung des T_4 vorwiegend das inaktive reverse-T_3 entsteht.

Die Verabreichung eines Kombinationspräparates, das T_4 und T_3 enthält, muß daher als unphysiologischer Eingriff in den Regulationsmechanismus der Konversion angesehen werden, vor allem wenn man bedenkt, daß einzelne Organe durch eigene T_4-Konversion ihren Bedarf an aktivem T_3 unabhängig vom Gesamtorganismus bereitzustellen vermögen.

Durch die gleichmäßige und den physiologischen Verhältnissen ähnliche Wirkung ist die labormäßige Kontrolle der Behandlung unter reiner L-T_4-Zufuhr zudem sicherer. Denn bei Verwendung von Kombinationspräparaten wird der Serum-T_4-Spiegel infolge des T_3-Anteils (der bei der routinemäßigen Durchführung des T_4-Testes nicht erfaßt wird) gesenkt. Bei Behandlung mit reinen T_4-Präparaten liegen bei optimaler Substitution die Werte für Serum-Trijodthyronin im unteren, für Thyroxin im oberen Normbereich. Der Serum-T_3-Spiegel zeigt im Gegensatz zu Kombinationspräparaten unter der Medikation mit Thyroxin allein keine abnormen Schwankungen. Der Thyroxinspiegel steigt zu Behandlungsbeginn langsam an und ist aufgrund der langen Halbwertszeit des Thyroxins gleichmäßig. Die regelmäßige Einnahme von L-Thyroxin eignet sich daher vor allem für die Langzeittherapie.

4.2   Allgemeines zur Dosierung von L-Thyroxin

Bei der Behandlung mit T_4 gilt nicht die bei vielen Medikamenten übliche Einnahme von 3mal 1 Tablette pro Tag. Die lange biologische Halbwertszeit von Thyroxin von ca. 8 Tagen im Blut bewirkt aufgrund der daraus abzuleitenden allmählichen Umwandlung praktisch konstante T_3-Blutspiegel nach einmaliger Einnahme von T_4 über mindestens 24 Stunden. Die einmal tägliche Applikation der notwendigen T_4-Dosis schafft wie unter physiologischen Bedingungen konstante T_3-Spiegel.

Der Umstand, daß aus dem „Prohormon" T_4 das biologisch relevante T_3 entsteht und daß diese Umwandlung allmählich über mehrere Tage verläuft, macht L-Thyroxin zu einem idealen Depotpräparat.

Falls nicht besondere Gründe dagegen sprechen, sollte daher die gesamte Tagesdosis morgens auf nüchternen Magen ca. eine halbe Stunde vor dem Frühstück eingenommen werden, da die Resorptionsquote bei diesem Vorgehen vergrößert ist. Wenn die Einnahme auf nüchternen Magen erfolgt und wenn danach mit der Mahlzeit mindestens eine halbe Stunde gewartet wird, kann aufgrund der hohen Resorptionsquote von etwa 80 % die Hormondosis um ein Drittel gegenüber der mit der Nahrungsaufnahme simultanen Einnahme reduziert werden.

Die Behandlung beginnt man zweckmäßigerweise mit der niedrigsten Dosis von 12,5 bzw. meist 50 µg L-Thyroxin. Anfangsdosis und Schnelligkeit der Dosissteigerung sind invers abhängig von Alter und Herz-Kreislaufsituation des Patienten sowie von der Schwere und Dauer der eventuell bestehenden hypothyreoten Symptome.

Dosierungs-Vorschläge für die Behandlung mit L-Thyroxin

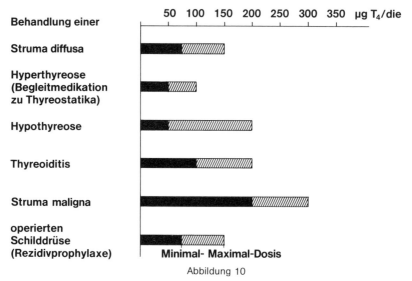

Abbildung 10

Entsprechend dem Ergebnis der klinischen Untersuchung, der Labordiagnose und der individuellen Verträglichkeit kann die Tagesdosis innerhalb von 14 Tagen auf 100 µg L-Thyroxin erhöht werden. Die weitere Steigerung bis zur festgelegten Gesamtdosis soll in gleichen ein- bis zweiwöchigen Intervallen mit jeweils 50–100 µg L-Thyroxin erfolgen.
Der Hormonbedarf der Patienten ist sehr unterschiedlich und liegt zwischen 50 und maximal 300 µg L-Thyroxin. Dosen über 200 µg sind selten erforderlich. Abbildung 10 zeigt Dosierungsvorschläge für die Behandlung mit L-Thyroxin bei den wichtigsten Schilddrüsenerkrankungen. Im einzelnen wird in den nachfolgenden Kapiteln auf die Dosierung noch eingegangen.

4.3 Nebenwirkungen der L-Thyroxin-Behandlung

Zu Beginn der Behandlung können als Folge der stoffwechselsteigernden Wirkung von L-Thyroxin gelegentlich Beschwerden im Sinne einer Hyperthyreose wie Tremor, Tachykardie, Hyperhidrosis, Durchfälle, Schlaflosigkeit, Wärmeintoleranz, innere Unruhe auftreten. In diesen Fällen liegt im allgemeinen eine Überdosierung vor, die sich am ehesten anhand von überhöhten Serum-T_3-Konzentrationen nachweisen läßt. In solchen Fällen

22

sollte die Zufuhr von L-Thyroxin unterbrochen und nach einigen Tagen in niedrigerer Dosierung fortgesetzt werden.

Eine Schilddrüsenhormontherapie sollte bei tachykarden Herzrhythmusstörungen erst nach Frequenzreduktion, bei Herzinsuffizienz nach Rekompensation erfolgen.

Bei älteren Patienten mit koronarer Herzkrankheit sollte mit niedrigen Dosen von etwa 12,5 µg pro Tag begonnen und die Steigerung in längeren Intervallen vorgenommen werden. Das Auftreten von pektanginösen Beschwerden unter der Behandlung ist Ausdruck des gesteigerten myokardialen O_2-Verbrauchs.

Die Wirkung von Antikoagulantien kann durch Schilddrüsenhormone verstärkt werden. Daher sind regelmäßige Kontrollen der Prothrombinzeit zu Beginn der L-Thyroxin-Behandlung erforderlich.

Schilddrüsenhormone können bei Patienten mit gleichzeitigem Prädiabetes oder manifestem Diabetes mellitus die Glukose-Toleranz vermindern. Es empfiehlt sich daher in solchen Fällen, zu Beginn der L-Thyroxin-Behandlung häufiger den Blutzuckerspiegel zu kontrollieren, um die Dosis des Antidiabetikums gegebenenfalls rechtzeitig erhöhen zu können.

4.4 Kontraindikationen

Eine absolute Kontraindikation besteht für die Therapie mit Schilddrüsenhormon vorübergehend lediglich beim frischen Myokardinfarkt sowie bei Angina pectoris oder Zustand nach Myokardinfarkt bei älteren Patienten, da die verlangsamte Hämodynamik durch die Thyroxin-Medikation vor ungewohnte Mehrbelastungen gestellt wird, zumal gleichzeitig der O_2-Bedarf des Herzmuskels ansteigt.

4.5 Kooperation Arzt–Patient

Jede Langzeittherapie mit Schilddrüsenhormon macht eine enge und persönliche Arzt-Patienten-Kooperation erforderlich. Denn die regelmäßige Tabletteneinnahme ist ausschlaggebend für den Behandlungserfolg.

Dem Patienten müssen vom behandelnden Arzt die bei Über- und Unterdosierung auftretenden „Nebenwirkungen", so auch die psychotropen Wirkungen der Schilddrüsenhormone, verständlich gemacht werden, damit der Patient bei Auftreten solcher auf den Beipackzetteln zu den Medikamentenpackungen beschriebener Symptome die Therapie nicht etwa eigenmächtig abbricht. Denn wurde die Behandlung mit Schilddrüsenhormon einmal unterbrochen, muß die Einnahme der Tabletten wieder einschleichend mit kleinen Dosen begonnen werden.

Wenn auch die vom Gesetz vorgeschriebenen Beipackzettel dem Arzt die Betreuung seiner Schilddrüsenkranken erleichtern helfen, haben sie gelegentlich den gegenteiligen Effekt.

5 Blande Struma

Die blande Struma ist nach der Definition der Sektion Schilddrüse der Deutschen Gesellschaft für Endokrinologie eine Schilddrüsenvergrößerung, die „nicht entzündlich und nicht maligne ist und eine euthyreote Stoffwechselsituation unterhält".

5.1 Ursachen der blanden Struma

Zur Synthese von Schilddrüsenhormon benötigt die Schilddrüse eine minimale Menge Jod, das mit der Nahrung aufgenommen werden muß. Während der tägliche Jodbedarf bei 150-200 µg liegt, beträgt die tägliche alimentäre Jodaufnahme in der Bundesrepublik durchschnittlich nur 50 bis 60 µg pro Tag (s. Abb. 1).

Der Mangel des Schilddrüsenhormonbausteins Jod ist die Hauptursache der blanden Struma, die in der Bundesrepublik mit einer Häufigkeit von etwa 15% endemisch ist.

Sinkt die tägliche Jodzufuhr auf Werte unter 70 µg, verzehrt sich der Jodvorrat der Schilddrüse rasch. Es kommt zu einem Absinken der Schilddrüsenhormone im Blut und dadurch zu einer anhaltenden hypophysären thyreotropen Stimulierung (s. Abb. 5), die zu einer Anpassungshyperplasie der Schilddrüse führt (Abb. 11).

Entstehung der Jodmangelstruma

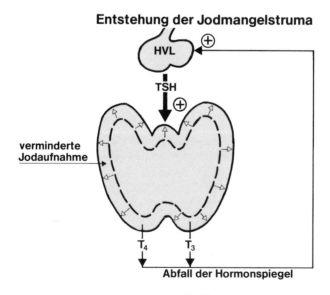

Abbildung 11

Neben dem Jodmangel kann die Minderversorgung des Organismus mit Schilddrüsenhormonen *auch andere thyreoidale oder extrathyreoidale Ursachen* haben. Thyreoidale Ursachen sind angeborene Defekte in der Schilddrüsenhormonsynthese, exogene strumigene Noxen wie Thyreostatika oder Medikamente mit strumigenen Nebeneffekten. Extrathyreoidale Ursachen sind endokrine Belastungen wie Pubertät, Gravidität, Klimakterium sowie eine Hemmung der Schilddrüsenhormonwirkung in der Körperperipherie durch verschiedene Hormone wie Kortison, Insulin, Androgene etc. Es besteht jedoch kein Zweifel, daß der alimentäre Jodmangel die häufigste Ursache des Kropfes ist.

Die jodverarmten Schilddrüsen sind empfindlicher gegen die proliferative TSH-Wirkung. Etwa 80 % der Patienten mit blander Struma weisen einen normalen TSH-Anstieg nach TRH-Stimulation auf. Die übrigen zeigen einen erhöhten TSH-Anstieg oder einen fehlenden TSH-Anstieg. Der überhöhte TSH-Anstieg weist auf eine latente Hypothyreose hin und zeigt an, daß sich die Struma bei diesen Patienten vermutlich in einer Wachstumsphase befindet.

Der fehlende TSH-Anstieg ist schwer zu erklären. Er wird vor allem bei älteren Patienten gefunden. Bei diesen Patienten ist die Struma parenchymatosa des Jugendlichen, die aus kolloidarmen Schilddrüsenfollikeln besteht, in eine kolloidreiche Struma colloides übergegangen. Über eine Proliferation einzelner hyperplastischer Follikelgruppen entwickeln sich Knoten, die autonom, d. h. TSH-unabhängig, Schilddrüsenhormon bilden. Bei teilweiser Erschöpfung der Schilddrüse kommt es zu degenerativen Veränderungen mit funktionslosen Adenomen, Zysten und Fibrosierungen, aber auch als Ausdruck einer TSH-unabhängigen Autoregulation zu einer nur durch einen negativen TRH-Test erfaßbaren Autonomie der Schilddrüse infolge der Maladaptation an den Jodmangel. Es handelt sich um kleine, im mikroskopischen Bereich liegende autonome Areale innerhalb der Schilddrüse, die sich im Szintigramm im Gegensatz zum kompensierten oder dekompensierten autonomen Adenom nicht als „warme" oder „heiße" Areale darstellen. Ausdruck dieser Autoregulation der Schilddrüse ist eine bevorzugte Produktion des jodärmeren und stoffwechselaktiveren Trijodthyronins mit im oberen Normbereich liegenden Trijodthyroninspiegeln im Serum, die zusätzlich zu einer Suppression der thyreotropen Aktivität führen (s. 3.2.5). Eine echte Überproduktion an Schilddrüsenhormon ist durch den Jodmangel limitiert.

Wird jedoch bei diesen Patienten der Jodmangel ausgeglichen, z. B. durch Gabe von jodhaltigem Schilddrüsenhormon oder auch durch Gabe von jodhaltigen Medikamenten oder jodhaltigen Röntgenkontrastmitteln, kann eine klinisch manifeste Hyperthyreose durch solitäre oder multilokuläre autonome Adenome (s. 8.1) entstehen.

5.2 Einteilung der blanden Struma

Die blande Struma, mit oder ohne örtliche Komplikationen im Halsgebiet, kann eingeteilt werden in eine *diffuse* und in eine *knotige Struma*. Die Struma nodosa läßt sich wieder unterteilen in eine *einknotige* und in eine *mehrknotige Struma*. Diese Unterteilung hat für die Therapie und Prognose Bedeutung.

Nach den Richtlinien der Weltgesundheits-Organisation (WHO) wird eine Schilddrüse, deren Seitenlappen größer als die Endphalangen der Daumen des Untersuchers sind, als Struma bezeichnet und folgende Einteilung vorgenommen:

Stadium 0: Keine Struma

Stadium I: Tastbare Struma

Stadium I a: Auch bei zurückgebeugtem Hals ist die Struma nicht sichtbar – oder: kleiner Strumaknoten bei sonst normal großer Schilddrüse.

Stadium I b: Tastbare Struma, welche nur bei voll zurückgebeugtem Hals sichtbar wird

Stadium II: Sichtbare Struma, d. h. sichtbar bei normaler Kopfhaltung

Stadium III: Sehr große Struma mit lokalen Stauungs- und Kompressionszeichen (s. Farbtafel I.1 und 2).

5.3 Klinik der blanden Struma

Lokalbeschwerden können als Luftnot, Schluckbeschwerden, Druck- und Engegefühl, Ziehen zum Ohr oder Fremdkörpergefühl geäußert werden. Oft ist der Kropf mehr ein kosmetisches Problem ohne irgendwelche Beschwerden. Typisch sind die Angaben der wechselnden Größe, besonders die Zunahme des Halsumfangs bei Belastungen.

Allgemeinbeschwerden sind oft Klagen über Leistungsminderung, Mißempfinden, Schlafstörungen und „Nervosität".

5.4 Diagnose der blanden Struma

Die *Anamnese* informiert über eine familiäre Belastung durch Schilddrüsenkrankheiten, über Jodmangel (Endemiegebiet), über strumigene Substanzen, sowie kurz vorausgegangene Gaben jodhaltiger Medikamente oder Röntgenkontrastmittel.

Der *körperliche Befund* berücksichtigt die geklagten Lokal- und Allgemeinbeschwerden. In jedem Lebensalter ist eine bei der Inspektion und Palpation in Größe, Form, Konsistenz und Verschieblichkeit von der Norm abweichende Schilddrüse eine endokrine Krankheit, die differentialdiagnostisch zu klären und in jedem Fall zu behandeln ist.

Die in Abschnitt 5.2 genannte Stadieneinteilung der Strumen wurde für epidemiologische Studien vorgenommen und reicht nicht, um den *Lokal-*

befund im Einzelfall zu beschreiben. Der Lokalbefund dokumentiert den Halsumfang, vor allem für Verlaufsuntersuchungen, sowie Art, Konsistenz, Form und Verschieblichkeit der Struma und schließlich Kompressionszeichen wie inspiratorischen Stridor, Schluckstörungen und Gefäßstauung.

Unabhängig von der Konsistenz (weich, fest, hart) und Art (diffus, knotig, rezidiviert) werden die Strumen in die obengenannten Größen eingeteilt. Diese Informationen sind wichtig sowohl für die Differentialdiagnose als auch für den Verlauf besonders bei konservativer Behandlung.

Anamnese und körperlicher Befund werden ergänzt durch die *technische Diagnose*. Hier steht die Szintigraphie der Stuma an erster Stelle, die in der Regel mit einem kurzlebigen Radionuklid wie ^{123}J oder ^{99m}Tc, jedoch nicht mit ^{131}J durchgeführt werden sollte. Unter folgenden Umständen kann auf ein Szintigramm der Schilddrüse verzichtet werden: Bei sicher diffusen Strumen des Größengrades I und z. T. auch noch bei Strumen der Größe II bei jugendlichen Patienten.

Sollte im Szintigramm ein „kaltes" Areal oder ein Knoten mit verminderter oder fehlender Radionuklidspeicherung zur Darstellung kommen, ergibt sich die Indikation für eine Feinnadelpunktion, um die Frage zu klären, ob es sich um einen entzündlichen, gut- oder bösartigen Defekt handelt (s. Abb. 7).

Die *„blande" Eigenschaft der Struma* wird durch den Ausschluß entzündlicher sowie gut- oder bösartiger Veränderungen und den Nachweis einer euthyreoten Stoffwechsellage, d. h. den Ausschluß einer Schilddrüsenüberfunktion bzw. Schilddrüsenunterfunktion bestätigt. Zur Beschreibung des euthyreoten Zustandes ist in der Regel eine Bestimmung des Gesamtthyroxinspiegels im Serum und bei Verdacht auf Anomalien der Bindungsproteine im Serum ein Parameter für das freie Thyroxin ausreichend. Bei Krankheiten mit bekannter Beziehung zu Schilddrüsenfunktionsstörungen oder die Schilddrüsenfunktion beeinflussenden diagnostischen bzw. medikamentösen Maßnahmen erfordert die Diagnose „Euthyreose" je nach Beeinträchtigung und Risiko des Patienten einen steigenden diagnostischen Aufwand, ggf. die Durchführung eines TRH-Testes, um auch noch klinisch nicht manifeste Hyper- bzw. Hypothyreosen zu erfassen (s. Abb. 8).

Bei jeder Ausschlußdiagnose ist eine Restunsicherheit vermeidbar, jedoch akzeptabel, wenn man bedenkt, daß die aufmerksame Verlaufsbeobachtung in der überwiegenden Mehrzahl der Fälle den Arzt rechtzeitig erkennen läßt, daß er zu Unrecht eine blande Struma angenommen hat.

Röntgenuntersuchungen von Thorax, Trachea und Ösophagus sind nur bei Verdacht auf Kompressionserscheinungen, insbesondere aber vor geplanten Strumektomien indiziert, der Radiojodzweiphasentest nur, wenn eine ^{131}J-Behandlung der Struma vorgesehen ist und die für die Therapie erforderliche ^{131}J-Menge berechnet werden muß (s. Farbtafel I.2).

5.5 Therapie der blanden Struma

Eine Verkleinerung einer blanden Struma bzw. ein Wachstumsstillstand kann auf drei Wegen erreicht werden:

a) *durch Behandlung mit Schilddrüsenhormon*
b) *durch Operation*
c) *durch Gabe von Radiojod.*

Klinischer Befund, vor allem Größe und Beschaffenheit der Struma, Alter des Patienten, Risikobelastung und nicht zuletzt individuelle Faktoren wie die Mitarbeit des Patienten bestimmen letztlich die Auswahl der z. T. konkurrierenden und sich ergänzenden therapeutischen Verfahren.

In jedem Fall ist eine Behandlung einer Struma, die Ausdruck einer endokrinen Krankheit darstellt, auch bei fehlenden lokalen Beschwerden angezeigt. Denn in der Regel bleibt es nicht beim einmaligen Wachstum der Schilddrüse. Das neugebildete Strumagewebe ist meist minderwertig und nimmt häufig knotige Beschaffenheit an (s. 5.1). Oft geht es zugrunde. Dabei bleiben in der Schilddrüse narbige Bezirke zurück. Gleichzeitig wächst an anderer Stelle neues Schilddrüsengewebe nach, so daß zeitlebens ein ständiger Untergang im Wechsel mit einer Erneuerung von Schilddrüsengewebe stattfindet.

5.5.1 Medikamentöse Therapie

Die Behandlung mit Schilddrüsenhormon geht davon aus, daß eine durch Hormonmangel ausgelöste Mehrinkretion von TSH Ursache des Strumawachstums ist und durch Medikation von Schilddrüsenhormon beeinflußt wird. Theoretisch müßte man bei allen Patienten mit einem Kropf eine Erniedrigung der Schilddrüsenhormonspiegel im Blut und eine Erhöhung des TSH-Spiegels im Blut finden. In der Mehrzahl der Fälle finden wir jedoch im mittleren Normbereich liegende Thyroxinspiegel und infolge einer kompensatorischen Steigerung der T_3-Sekretion im oberen Normbereich liegende T_3-Spiegel. Nur etwa 10 % der Patienten mit einer blanden Struma und etwa 20 % mit einer Rezidivstruma haben einen erhöhten TSH-Spiegel im Blut. Zur Unterhaltung der bereits ausgebildeten Schilddrüsenvergrößerung reicht offenbar ein normaler TSH-Spiegel aus (s. 5.1).

Eine vermehrte Stimulation durch TSH läßt sich grundsätzlich durch eine Dauermedikation von Schilddrüsenhormon supprimieren. Die theoretische Grundlage dieser Behandlung ist in Abbildung 12 dargestellt:

Wird synthetisches Schilddrüsenhormon zugeführt, kommt es zu einer „Ruhigstellung" des Hypophysenvorderlappens (HVL) und damit zu einer Drosselung der Schilddrüsenhormonproduktion, zumal der Schilddrüsenhormonbedarf des Organismus durch die exogene Zufuhr völlig gedeckt wird. Durch die „Ruhigstellung" wird ein Weiterwachsen des Kropfes verhindert. Er beginnt sich allmählich zu verkleinern, da er von der endogenen Hormonproduktion entlastet wird.

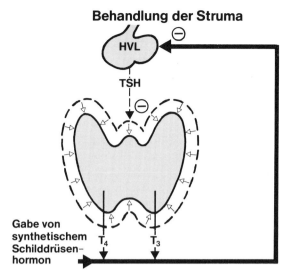

Behandlung der Struma

HVL

TSH

Gabe von
synthetischem
Schilddrüsen-
hormon

T_4 T_3

Abbildung 12

Die Behandlung mit Schilddrüsenhormon muß in den meisten Fällen über Jahre erfolgen. Vor Beginn der Behandlung sollte daher geklärt werden, ob eine kontrollierte langfristige Therapie möglich ist. *Die konservative Behandlung mit Schilddrüsenhormon sollte bei einer blanden Struma so früh wie möglich eingeleitet werden,* um das Entstehen der oben erwähnten Komplikationen zu vermeiden (s. 5.1).

Das Schilddrüsenhormonpräparat der Wahl ist eine reine L-Thyroxin-Zubereitung (s. 4.1). Das Thyroxin kann wegen seiner langen Halbwertszeit in einer einzigen Tagesdosis gegeben werden.

Die erforderliche Thyroxindosis wird je nach Körpergröße, Alter und kardialem Zustand während der ersten 2–3 Wochen in halber Dosis und dann in ganzer Dosis einmal am Tag, meist morgens eine halbe Stunde vor dem Frühstück eingenommen. Das Prinzip der einschleichenden Behandlung ist in Abbildung 13 schematisch dargestellt. *Im allgemeinen reichen Dosen von 100–150 µg L-Thyroxin pro die für einen thyreosuppressiven Effekt* aus, selten werden Dosen von 200 µg L-T_4 pro Tag benötigt (s. Abb. 10).

Der Thyroxinspiegel steigt zu Behandlungsbeginn langsam an und ist aufgrund der langen Halbwertszeit des Thyroxins gleichmäßig. Bei der Behandlung mit Thyroxinpräparaten liegt der mittlere T_4-Spiegel im Serum geringgradig höher als bei Schilddrüsengesunden. Die gewünschte TSH-Suppression ist an einem Abfall des TSH-Spiegels im Serum erkennbar. Da jedoch der TSH-Spiegel im allgemeinen bei Beginn der Behandlung im

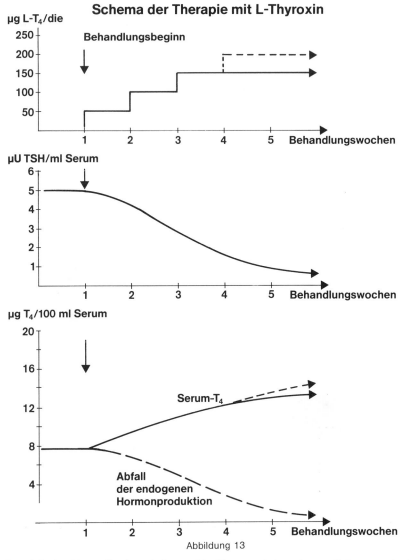

Schema der Therapie mit L-Thyroxin

µg L-T$_4$/die

250

Behandlungsbeginn

200

150

100

50

1 2 3 4 5 Behandlungswochen

µU TSH/ml Serum

6

5

4

3

2

1

1 2 3 4 5 Behandlungswochen

µg T$_4$/100 ml Serum

20

16

Serum-T$_4$

12

8

Abfall
der endogenen
Hormonproduktion

4

1 2 3 4 5 Behandlungswochen

Abbildung 13

Bereich der Norm liegt und die zur Verfügung stehenden radioimmunologischen Verfahren zur TSH-Bestimmung nicht sehr empfindlich sind, ist der suppressive Effekt im allgemeinen nur durch einen negativen Ausfall eines TRH-Testes zu erkennen. Allerdings ist die Durchführung dieses Testes im Rahmen der Verlaufskontrolle nur dann erforderlich, wenn Unverträglichkeitserscheinungen geklagt werden und die minimale Dosis zur TSH-Suppression ermittelt werden soll. Anzustreben ist die niedrigste Hormondosis, mit der ein Behandlungseffekt bei guter Verträglichkeit zu erreichen ist.

30

Als ein sicherer Behandlungseffekt ist eine Verkleinerung oder ein Verschwinden einer Struma anzusehen (s. Farbtafel II.1 und 2). Voraussetzung für einen solchen Therapieerfolg ist, daß die Behandlung konsequent über Jahre und Jahrzehnte durchgeführt wird.

Bei der Neugeborenen-Struma ohne Zeichen einer Hyperthyreose sollte, auch wenn Zeichen einer Hypothyreose fehlen, mit L-Thyroxin substituiert werden. Bei klinischer Euthyreose bildet sich die Struma rascher zurück. Bei öfters dann doch nachweisbarer latenter Hypothyreose wird der in diesem Lebensalter kritische Hormonmangel unter Umständen noch rechtzeitig ausgeglichen (s. 6.5.1).

Die juvenile Struma zur Zeit der Pubertät muß ebenfalls mit L-Thyroxin substituiert werden, zumindest bis in die Zeit nach der Pubertät. Sollte es nach Absetzen der Behandlung erneut zu einer Struma oder deren Vergrößerung kommen, erscheint die Substitution auf Dauer gerechtfertigt. Die Substitutionsdosis beträgt etwa 100 µg L-Thyroxin pro die (s. 6.5.1). Jegliche Art von Verdichtung oder Knoten im Bereich der Schilddrüse bei Kindern oder Jugendlichen muß Anlaß zu genauester Abklärung bis hin zur histologischen Untersuchung geben (s. 11.3).

Auf die Medikation reagieren diffuse Strumen bei Jugendlichen am besten. Durch die konsequente Nutzung dieser Therapieform bei jeder blanden Struma diffusa kann erfahrungsgemäß bei den meisten Patienten eine später eventuell wegen knotiger Umwandlung des Kropfes notwendige Strumektomie vermieden werden.

Die Schwangerschaft und die Einnahme von oralen Kontrazeptiva sind keine Gegenindikation für die medikamentöse Behandlung einer Struma. Im Gegenteil, sie ist hier absolut notwendig, da jeder Schilddrüsenhormonmangel eine Schwangerschaft im ersten Trimenon wegen des erhöhten Schilddrüsenhormonbedarfs gefährdet und weil infolge einer Vermehrung des Schilddrüsenhormon-bindenden Proteins TBG im Serum unter Östrogeneinfluß die Bindungskapazität für Schilddrüsenhormone ansteigt, so daß es über den in Abbildung 5 dargestellten Regelmechanismus zu einer vermehrten TSH-Sekretion mit Zunahme des Halsumfangs kommen kann. Aus diesem Grund ist während einer Gravidität eine antistrumigene Schilddrüsenhormonbehandlung in jedem Fall fortzuführen und sogar die verwendete Dosis zu erhöhen. Bei Manifestation einer Struma in der Schwangerschaft oder unter Behandlung mit oralen Kontrazeptiva ist immer eine Schilddrüsenhormontherapie einzuleiten.

Die lange Dauer der konsequent durchgeführten Schilddrüsenhormonbehandlung ist nach allen Beobachtungen wichtiger als die Dosierung und auch die Wahl der Schilddrüsenhormone. Nach allgemeiner Erfahrung liegt die Erfolgsquote bei etwa 75% nach mindestens zweijähriger konsequenter Behandlung.

Bei der Erfolgsbeurteilung muß man jedoch bedenken, daß jede Struma periodischen Größenschwankungen unterworfen ist, an denen die momentane Hormonsituation und Faktoren der Außenwelt teilhaben wie Prämenstruation und Menstruation, jede Streßsituation wie Aufregungen, Schlaflosigkeit etc. Daher kann man nicht zurückhaltend genug mit der Beurteilung der Abnahme der Schilddrüsengröße sein. Hinzu kommt, daß durch Ausschaltung des TSH-Reizes die Schilddrüse im Anfang durch die einsetzende Kolloidspeicherung eher etwas derber und damit zunächst scheinbar größer werden kann.

Frühestens nach 2–3 Jahren ist bei einer diffusen Struma ein Auslaß-versuch für die Dauer von etwa 12 Monaten indiziert. Nach einer Schilddrüsenhormontherapie sollte möglichst eine Jodsalzprophylaxe zur Verhinderung eines Rezidivs durchgeführt werden (s. 5.5.4).

Sollte sich beim Lokalbefund oder beim szintigraphischen Abbild der Struma ein Rezidiv zeigen, so muß die Therapie fortgeführt werden, gewöhnlich lebenslang. Eine Verhinderung weiterer Größenzunahme einer Struma ist manchmal auch schon als ausreichender Therapieerfolg anzusehen, zumal unter Schilddrüsenhormontherapie eine weitere Größenzunahme einer Struma praktisch nicht beobachtet wird.

Die *Verlaufsuntersuchungen* unter einer medikamentösen Schilddrüsenhormontherapie sind in Abbildung 14 schematisch dargestellt. Bei der körperlichen Untersuchung sind vor allem Messungen des Halsumfangs und eine Kontrolle des Schilddrüsentastbefundes empfehlenswert. Außerdem sind Körpergewicht und Pulsfrequenz zu kontrollieren.

Verlaufsuntersuchungen bei Behandlung einer Struma mit Schilddrüsenhormonen

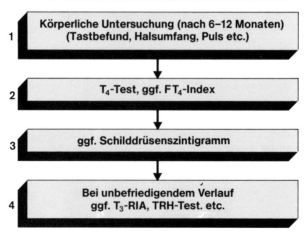

1. Körperliche Untersuchung (nach 6–12 Monaten) (Tastbefund, Halsumfang, Puls etc.)

2. T_4-Test, ggf. FT_4-Index

3. ggf. Schilddrüsenszintigramm

4. Bei unbefriedigendem Verlauf ggf. T_3-RIA, TRH-Test. etc.

Abbildung 14

Der Thyroxinspiegel sollte im oberen Bereich der Norm liegen, wobei für die Beurteilung des Ergebnisses des T_4-Testes die letzte Einnahme der Thyroxinmedikation (am Vortag oder am Tag der Untersuchung) bekannt sein sollte.

Diagnostische Ausweitungen wie ein Parameter für das freie Thyroxin, ein Schilddrüsenszintigramm, die Bestimmung des Trijodthyronins und ein TRH-Test sind nur bei unbefriedigendem Verlauf der Behandlung mit Schilddrüsenhormonen, z. B. bei Verdacht auf ein Strumarezidiv oder auf eine Überdosierung mit Hypertrijodthyroninämie (durch Konversion von Thyroxin zu Trijodthyronin) erforderlich. Diese diagnostischen Ausweitungen bei Verlaufsuntersuchungen sind vor allem bei älteren Patienten erforderlich, da hier die Adaptation an den Jodmangel vermehrt über eine zunehmende Autonomie der Schilddrüse selbst erfolgt. Während es bei jüngeren Patienten gelingt, einen großen Teil der Strumen erheblich zu verkleinern, kann die Gabe von Schilddrüsenhormonen bei älteren Patienten zur Entwicklung multilokulärer oder solitärer autonomer Areale innerhalb der Schilddrüse führen (s. 5.1), so daß die Behandlung abgebrochen und eine kausale Therapie des autonomen Adenoms (s. 8.5) erfolgen muß.

Wenn nach mindestens 2–3jähriger konsequenter Schilddrüsenhormonbehandlung kein eindeutiger Therapieerfolg nachzuweisen ist, sollte der Behandlungsplan in jedem Fall überprüft und eventuell eine subtotale Strumektomie oder eine Radiojod-Verkleinerungstherapie in Erwägung gezogen werden.

5.5.2 Subtotale Strumektomie

Von vornherein wenig aussichtsreich ist die alleinige Behandlung mit Schilddrüsenhormon bei Patienten mit großen Strumen und Symptomen einer Einschränkung der Atmung oder Blutzirkulation durch Kompression von Luftröhre und Halsvenen, aber auch durch Einengung der Speiseröhre (s. Farbtafel I.2).

Für Strumen der Größe (II und) III mit entsprechenden Verdrängungszeichen sowie Knotenkröpfe, vor allem bei Nachweis szintigraphisch „kalter" Knoten, die zytologisch verdächtig sind, sowie bei durch Langzeittherapie mit Schilddrüsenhormon nicht beeinflußbaren *Schilddrüsenvergrößerungen ist die subtotale Strumektomie die Therapie der Wahl.*

Vor einer subtotalen Strumektomie sollte eine Behandlung mit Schilddrüsenhormon durchgeführt werden, um die Strumen kleiner, fester und weniger blutreich zu machen. Darüber hinaus beugt sie einer etwaigen postoperativen Hypothyreose vor.

Gewissenhafte Indikation, moderne Anästhesie und exakte Technik haben die Komplikationen nach Schilddrüsenoperationen auf ein vertretbares Maß reduziert. Für die standardmäßige subtotale Strumaresektion müssen zu erwartende, operationsbedingte Komplikationen hinsichtlich einseitiger Rekurrensparesen im Mittel zwischen 1,5 und 3 %, dauerhafte thyreoprive Tetanien zwischen 0,2 und 0,5 % und bezüglich einer meist nur zu Lasten älterer Patienten gehenden Operationsletalität von 1 ‰ eingeschätzt werden (s. auch 7.5.2).

Für die euthyreote diffuse und vor allem nodöse Struma der Stadien II–III nach entweder lange vorausgegangener vergeblicher Schilddrüsenhormonbehandlung oder von vornherein bei erheblicher Raumforderung mit Atemnot und Schluckstörung infolge Trachea- und Ösophaguskompression ist unverändert die beidseitige subtotale Resektion angezeigt. Asymmetrisch konfigurierte, eventuell nur einseitig ausgebildete Strumen werden funktionskritisch nur in ihrem tatsächlich veränderten Anteil reseziert. Das Ausmaß der Parenchymreduktion sollte sich etwa auf das beiderseitige Belassen annähernd normal großer Drüsenreste beschränken.

Die Kropfrezidivgefahr und die sich meist erst schleichend entwickelnde postoperative Hypothyreose sind chirurgisch-technisch kaum regulierbar und bleiben vielmehr eine Aufgabe der konsequenten Nachsorge. Es gibt kein chirurgisch behandeltes Leiden, das, auch wenn es gutartiger Natur ist, so viele Rezidive aufweist wie die Struma, da die Ursachen, die zur Anpassungshyperplasie der Schilddrüse geführt haben, weiterhin auf den Patienten einwirken. Die Strumaresektion ist eine symptomatische Maßnahme, durch die weder der Jodmangel beseitigt noch die fehlgesteuerte Hormonsynthese beeinflußt werden.

Die *postoperative Rezidivprophylaxe mit Schilddrüsenhormon* ist daher inzwischen ein Standardverfahren geworden. Die lebenslange Einnahme von L-Thyroxin schützt den Patienten vor dem in der Größenordnung von 20 bis 30 % liegenden Rezidivrisiko, das bei jüngeren Patienten wesentlich höher ist.

Das Entstehen eines postoperativen Strumarezidivs ist ein Prozeß, der sich nur langsam innerhalb vieler Jahre vollzieht.

Bei der Rezidivprophylaxe der blanden Struma ist eine Suppression der TSH-Spiegel unter die Norm nicht erforderlich. Hier sollte lediglich eine Normalisierung des Serum-TSH-Spiegels angestrebt werden. Die Prophylaxe sollte bereits direkt im Anschluß an die Resektion eingeleitet werden. Im allgemeinen reichen Dosen von 100 µg L-Thyroxin pro die für eine Rezidivprophylaxe aus.

Hat sich eine Rezidivstruma entwickelt, so gelten ähnliche therapeutische Überlegungen und Richtlinien wie für die blande Struma (s. 5.5.1).

Postoperative Kontrolluntersuchungen sollten in Jahresabständen nach dem in Abbildung 14 dargestellten Schema erfolgen.

Da postoperativ gelegentlich, teilweise allerdings nur passager, eine subklinische Hypothyreose vorliegt, ist eine lebenslange Behandlung mit Schilddrüsenhormonen zur Rezidivprophylaxe meist erforderlich. Eine gute Zusammenarbeit zwischen Arzt und Patient ist gerade nach Schilddrüsenoperationen für die Vermeidung eines Strumarezidivs bzw. die Entwicklung einer postoperativen Hypothyreose außerordentlich wichtig.

5.5.3 Radiojod-Verkleinerungstherapie

Die Möglichkeit, die blande Struma durch eine interne Strahlenbehandlung mit ^{131}J zu verkleinern, kann dann genutzt werden, wenn die medikamentöse Therapie erfolglos geblieben und die Operation nicht absolut indiziert ist bei Patienten jenseits des 40. Lebensjahres, ferner bei Patienten mit erhöhtem Operationsrisiko und Rezidivstrumen. Voraussetzung für diese Behandlung ist, daß das Schilddrüsengewebe genügend und einigermaßen gleichmäßig das Radiopharmakon ^{131}J anreichert. Ein Radiojodzweiphasentest einschließlich Schilddrüsenszintigramm gibt die notwendigen Informationen über eine ausreichende und gleichmäßige Aufnahme des ^{131}J in der Schilddrüse.

Für die zur teilweisen Zerstörung des Schilddrüsenparenchyms erforderlichen *Herddosen von 12.000–15.000 rad* müssen je nach Strumagröße Radiojodmengen von 10–30 mCi ^{131}J verabreicht werden. Diese Behandlung ist aufgrund der Strahlenschutzverordnung nur in speziell eingerichteten nuklearmedizinischen Einheiten während eines etwa zweiwöchigen stationären Aufenthaltes möglich.

Die stationäre Unterbringung der Patienten ist aufgrund der Strahlenschutz-Gesetzgebung und der Tatsache, daß die Patienten das nicht von der Schilddrüse aufgenommene ^{131}J rasch über den Harn ausscheiden, erforderlich. Außerdem ist die Isolierung der mit radioaktivem Jod behandelten Patienten zum Schutz der Umwelt so lange erforderlich, bis die Radioaktivität in der Schilddrüse des behandelten Patienten auf einen bestimmten, vorgeschriebenen Wert abgefallen ist.

Die therapeutische Wirkung besteht in einer Reduktion von vorwiegend funktionstüchtigem Schilddrüsengewebe, das von den nur etwa 2,2 mm weit reichenden β-Strahlen des ^{131}J erreicht wird. Der Therapieerfolg läßt sich erst etwa nach einem halben Jahr genau abschätzen. Die Behandlungserfolge sind am besten bei diffusen Strumen mit hoher ^{131}J-Aufnahme.

Die Verkleinerung einer Struma durch Radiojod bringt meist keine kosmetisch befriedigenden Ergebnisse, bessert aber oft die unangenehmen lokalmechanischen Erscheinungen. Darüber hinaus kann im Anschluß an eine Radiojodtherapie wie nach einer Schilddrüsenoperation durch Gabe von Schilddrüsenhormon eine weitere Verkleinerung der Struma angestrebt bzw. ein Rezidiv vermieden werden.

Es empfiehlt sich, daß jegliche, durch definitive Maßnahmen wie Operation oder Bestrahlung erzielte Verkleinerung der Schilddrüse mit Schilddrüsenhormon lebenslang behandelt wird. Die *Dauerbehandlung mit Schilddrüsen-hormon* sollte etwa eine Woche nach der Radiojodtherapie, d. h. im allgemeinen bei der Entlassung aus stationärer Überwachung, in der für die blande Struma angegebenen Dosierung von 100–150 µg L-Thyroxin pro Tag beginnen (s. 5.5.1).

Die *Verlaufsuntersuchungen nach Radiojodverkleinerungstherapie* erfolgen nach dem in Abbildung 14 dargestellten Schema in 6–12monatigen Abständen. Bei unbefriedigendem Ergebnis ist eine zweite Radiojodtherapie in einem Teil der Fälle angezeigt. Alternativ kommt eine subtotale Strumektomie in Frage. Die vorausgegangene ^{131}J-Behandlung stellt keine Kontraindikation dar, kann sich vielmehr günstig auf das Ergebnis auswirken, da aufgrund der erreichten Fibrosierungsprozesse eine Verkleinerung der Struma erfolgt ist und eine geringere Blutungsneigung besteht.

Die *Strahlenexposition* ist infolge der raschen Ausscheidung des nicht von der Schilddrüse gebundenen ^{131}J gering einzuschätzen. Die Gonadendosis liegt zwischen 0,15–6 rad/mCi ^{131}J, die Ganzkörperdosis zwischen 0,1–2 rad/ mCi ^{131}J (s. auch 7.5.3).

5.5.4 Jodprophylaxe der blanden Struma

In vielen Fällen würde die Notwendigkeit einer langwierigen und langfristigen Behandlung einer blanden Struma gar nicht erst entstehen, wenn rechtzeitig einsetzende vorbeugende Maßnahmen ihre Entwicklung verhindert hätten. Zur Prophylaxe endemischer Strumen hat sich die Jodmedikation in Form einer kontinuierlichen Zufuhr von jodiertem Kochsalz in der Schweiz, in Österreich und in anderen Ländern so bewährt, daß kein Zweifel mehr an ihrem Nutzen besteht (s. auch 8.5.3 und 11.1).

Durch die von der „Sektion Schilddrüse" der Deutschen Gesellschaft für Endokrinologie 1975 für die Bundesrepublik als vorbeugende Maßnahme geforderte Jodierung des Kochsalzes könnte bei einer täglichen Salzaufnahme mit der Nahrung von etwa 10 g eine zusätzliche Jodaufnahme von etwa 100 µg Jod erreicht werden. Dadurch würde die in der Bundesrepublik mit durchschnittlich 50 µg Jod pro Tag zu niedrig liegende alimentäre Jodaufnahme auf die erforderliche, von der Weltgesundheits-Organisation empfohlene Dosis von etwa 150 µg pro Tag erhöht werden.

Durch eine Jodsalzprophylaxe dürfte ähnlich den guten Erfahrungen, die man in der Schweiz und in Österreich sammeln konnte, in Zukunft die *Kropfhäufigkeit in der Bundesrepublik stark zurückgehen.* Wenn die Kropfhäufigkeit von derzeit ca. 15 % auf etwa 3 % gesenkt werden könnte, würden zahlreiche diagnostische und therapeutische Maßnahmen eingespart werden können.

Die Lösung dieses Problems stellt daher eine wichtige Aufgabe der Vorsorgemedizin dar. Die blande Struma ist von allen bekannten Krankheiten diejenige, die sich am einfachsten und mit dem geringsten Kostenaufwand verhüten läßt.

Eine Alternative zur Jodsalzprophylaxe ist die regelmäßige Einnahme eines Jodpräparates, vor allem bei kropfgefährdeten Patienten. Diese Methode ist individuell anwendbar und hat den Vorteil, daß sie durch den behandelnden Arzt direkt kontrolliert werden kann.

Jod dient jedoch nur der Kropfverhütung, nicht der Kropfbehandlung. Bei bereits bestehenden Strumen wird durch eine erhöhte Jodzufuhr kein therapeutischer Effekt bewirkt. Eine Strumatherapie mit Jod ist daher nicht möglich.

6   Hypothyreose

Bei unzureichender Versorgung der Körperzellen mit Schilddrüsenhormon kommt es zu dem Krankheitsbild der Hypothyreose. Es besteht ein kontinuierlicher Übergang zwischen der Euthyreose und Hypothyreose. Beim hypothyreoten Koma handelt es sich um eine außerordentlich selten gewordene Exazerbation der Hypothyreose.

6.1   Ursachen der Hypothyreose

Das klinische Bild der Hypothyreose kann verursacht sein entweder durch eine fehlende Stimulation der Schilddrüse durch TSH (sekundäre Hypothyreose, Abb. 15) oder durch eine fehlende Schilddrüsenhormonproduktion (primäre Hypothyreose, Abb. 16) infolge eines morphologischen Schilddrüsendefekts (z. B. Athyreose, Ektopie, Organzerstörung durch Entzündung, Radiojod oder Strumektomie), funktionellen Schilddrüsendefekts (z. B. Hormonsynthesedefekt, Entzündung, Jodmangel, Thyreostatika und strumigene Substanzen). Eine fehlende Schilddrüsenhormonverwertung durch Hormonverlust (Nephrose, Enteropathie) bzw. Hormonresistenz ist außerordentlich selten.

6.2   Einteilung der Hypothyreosen

Die angeborene Hypothyreose kommt sporadisch und endemisch vor. Es handelt sich meist um eine primäre Hypothyreose durch Schilddrüsenektopie, -hypoplasie oder -aplasie, selten um genetisch bedingte Jodfehlverwertungsstörungen (z. Z. sechs verschiedene biochemische Typen bekannt) oder um exogene Einflüsse während der Fötalzeit (Jodmangel, Radiojod- oder Thyreostatikatherapie während der Schwangerschaft). Die Häufigkeit der angeborenen primären Hypothyreose beträgt ein Fall auf ca. 5.000 Geburten.

Postnatal erworbene primäre Hypothyreosen:
Die erworbene Hypothyreose wird bei Erwachsenen aller Altersstufen, vor allem bei Frauen, beobachtet, wobei die Atrophie der Schilddrüse in der Genese der Hypothyreose die Hauptrolle spielt. Als Ursache kommt der chronisch-lymphozytären Entzündung die größte Bedeutung zu, die meist unerkannt abläuft, so daß die Hypothyreose bei älteren Patienten oft zu selten oder zu spät erkannt wird, zumal Lokalbeschwerden im Bereich der Schilddrüse ebenso fehlen wie eine sichtbare oder tastbare Vergrößerung der Schilddrüse (Abb. 16).

Neben der entzündlichen Ursache der erworbenen primären Hypothyreose können die übrigen in Abschnitt 6.1 genannten Ursachen vorliegen.

Sekundäre, hypophysäre Hypothyreosen:
Ein partieller oder totaler Ausfall des thyreotropen Hormons des Hypophysenvorderlappens, z. B. durch einen Tumor, kann Ursache für die Entwicklung einer sekundären Hypothyreose sein (Abb. 15).

Hypophysäre (sekundäre) Hypothyreose

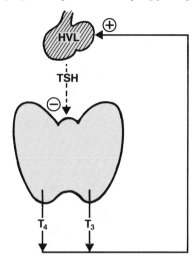

Abbildung 15

Thyreogene (primäre) Hypothyreose

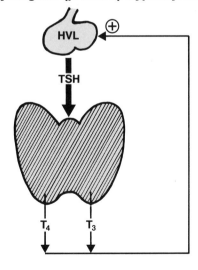

Abbildung 16

6.3 Klinik der Hypothyreose

Im *Säuglingsalter* sind Eß- und Trinkfaulheit, Obstipation, trockene, blasse, kühle Haut, rauhe, heisere Stimme, auffallende Ruhe, großes Schlafbedürfnis, verlangsamte Sehnenreflexe Zeichen des allgemein herabgesetzten Stoffwechsels.

Zeichen der verzögerten Entwicklung können eine Nabelhernie, ein Ikterus neonatorum prolongatus (länger als 10 Tage), Wachstums- und Reifungsrückstand (Körpergröße, Knochenalter), verzögerter Zahndurchbruch, verspätete Pubertät, geistiger Entwicklungsrückstand sein.

Da jedoch die auffallenden Zeichen der verzögerten Entwicklung nicht Frühsymptome darstellen (mit Ausnahme der Nabelhernie und des Icterus neonatorum prolongatus) und die klinische Diagnose einer Hypothyreose beim Neugeborenen in der Regel nicht gestellt wird, sind wegen der relativ hohen Inzidenz von 100–150 hypothyreoten Neugeborenen bei ca. 600.000 Lebendgeburten pro Jahr in der Bundesrepublik Bestrebungen im Gang, wie in anderen Ländern durch eine TSH-Bestimmung in einer am 5. Tag post partum aus der Ferse entnommenen und auf Filterpapier angetrockneten Blutprobe ein Screening auf Hypothyreose gemeinsam mit dem Screening-Programm auf Phenylketonurie (PKU) einzuführen.

Im *Erwachsenenalter* erlaubt der langsame, schleichende Krankheitsverlauf bei den häufig wenig klagsamen Patienten selten eine Frühdiagnose, zumal es von der normalen zur verminderten Tätigkeit der Schilddrüse bis zur klinisch manifesten Unterfunktion gleitende Übergänge gibt. Die Grenze zwischen einer Euthyreose und einer Hypothyreose ist nicht klar definiert. Entsprechend ist die Vielzahl der Begriffe: Man unterscheidet die latente, präklinische, subklinische, kompensierte, „Borderline"-Hypothyreose sowie das Myxödem von der klinisch manifesten Schilddrüsenunterfunktion mit den je nach Hormonmangel und Dauer der Krankheit verschieden ausgeprägten Symptomen.

Subjektiv stehen Kälteintoleranz, Müdigkeit, Antriebs- und Interessenlosigkeit im Vordergrund, oft mit großem Schlafbedürfnis verbunden. Rheumatische Beschwerden sind relativ häufig.

Objektiv steht eine Veränderung der Gesamtpersönlichkeit mit extremer Antriebsarmut, stumpfem Desinteresse an sich und der Umwelt im Vordergrund. Die Gesichtszüge sind charakteristisch „verwischt" durch ein aufgedunsenes Gesicht, verdickte Lidränder, Schwellung des periorbitalen Gewebes (s. Farbtafel III.1). Das Haar ist trocken und brüchig. Die Stimme ist heiser und rauh.

Eine hartnäckige Obstipation gehört zu den klassischen Hypothyreosesymptomen. Amenorrhoe, Potenz- und Libidoverlust, verminderte Reflexerregbarkeit können weitere auf eine Hypothyreose hinweisende Symptome darstellen.

Im EKG findet sich infolge myxödematöser Infiltrationen des Myokards mit Dilatation des Herzens eine Niedervoltage, ein verlängertes Q-T-Intervall, eine Abflachung der T-Wellen.

Im *Greisenalter* kann eine Hypothyreose oligosymptomatisch nur durch Adynamie, Müdigkeit, Ödemneigung, Kälteempfindlichkeit, Schwerhörigkeit oder Depressionen in Erscheinung treten und häufig durch andere Alterserscheinungen larviert werden. Da die Häufigkeit der Altershypothyreose mit 2–4 % angenommen werden muß, sollte man öfters an eine Schilddrüseninsuffizienz denken und eine entsprechende Diagnostik einleiten. Leitsymptome des *hypothyreoten Komas* sind hochgradige Somnolenz bis Bewußtlosigkeit, erloschene Reflexe, Verlangsamung von Atemfrequenz und Herzschlagfolge, Hypothermie, Hypotonie, alveoläre Hypoventilation und Hyperkapnie, Hypoxie mit Entwicklung einer respiratorischen Azidose.

6.4 Diagnose der Hypothyreose

Als Labortests sind *im Kindesalter* zur Sicherung der Diagnose eine Bestimmung des Gesamtthyroxins und des Serum-TSH in der Regel genügend. Mit einem Schilddrüsenszintigramm läßt sich ggf. eine Schilddrüsenektopie darstellen.

Im Erwachsenenalter sollten ebenfalls in erster Linie Gesamtthyroxin im Serum, bei Verdacht auf Bindungsanomalien ein Parameter für das freie Thyroxin, sowie Serum-TSH bzw. in Zweifelsfällen der TRH-Test durchgeführt werden. Da im Erwachsenenalter Hypothyreosen zu einem hohen Prozentsatz durch einen Autoimmunprozeß entstehen, ist der Nachweis der zirkulierenden und zellständigen Schilddrüsenantikörper von Bedeutung. Das Schilddrüsenszintigramm ist für den Nachweis der Ektopie entscheidend, bei Vorhandensein einer Struma und bei Thyreoiditis gibt es Hinweise über die Schädigung des Organs und ist wichtig für die Feinnadelpunktion (s. Farbtafel III.2). Durch den TRH-Test gelingt gleichzeitig die Differenzierung zwischen der primären und der sekundären Form der Hypothyreose (s. Abb. 5). Die Teste sollten, ausgehend von der klinischen Verdachtsdiagnose, zum Einsatz kommen und dann abgebrochen werden, wenn die Verdachtsdiagnose zweifelsfrei belegt werden konnte.

Eine weitere diagnostische Möglichkeit ist eine Bestimmung des Cholesterinspiegels im Serum, der bei Schilddrüsenunterfunktion immer erhöht ist, jedoch als Bezugsgröße des Fettstoffwechsels nur ein indirektes Maß für eine veränderte Schilddrüsenfunktion darstellt.

6.5 Therapie der Hypothyreose

Mit Ausnahme der durch Medikamente hervorgerufenen Schilddrüsenunterfunktion sind alle anderen zur Hypothyreose führenden Prozesse nicht rückbildungsfähig. *Die Schilddrüsenunterfunktion bedarf* daher *in jedem Fall einer lebenslangen Behandlung mit Schilddrüsenhormon.* Da auch die klinisch noch nicht erkennbare leichte Form einer Schilddrüsenunterfunktion heute durch die verfeinerte Labordiagnostik aufgedeckt werden kann und einen bedeutenden Risikofaktor bei der Entwicklung einer Koronarsklerose infolge hoher Blutfettwerte darstellt, ist es wichtig, die latente Schilddrüsenunterfunktion schon vor ihrem kontinuierlichen Übergang in eine manifeste Unterfunktion mit Schilddrüsenhormon zu behandeln.

6.5.1 Therapie der kindlichen Hypothyreose

Bei einer mit Hilfe des jetzt angelaufenen Neugeborenen-Screenings entdeckten kongenitalen Hypothyreose ist eine einschleichende Behandlung nicht erforderlich. Es muß im Gegenteil versucht werden, das Schilddrüsenhormondefizit des Säuglings so rasch wie möglich auszugleichen. Eine möglichst früh nach der Geburt einsetzende, konsequent über Jahre durchgeführte Therapie mit Schilddrüsenhormon schützt das Kind vor irreversiblen Schädigungen des Zentralnervensystems.

Als Hormonpräparat der Wahl wird L-Thyroxin angesehen, das von Säuglingen und Kleinkindern ausgezeichnet vertragen wird.

Später wird bei Kindern die Dosierung nach der Körperoberfläche des Kindes vorgenommen, wobei eine gegebene Erwachsenen-Dosierung unterteilt und dem jeweiligen Alter in etwa angepaßt werden kann. Ausgehend von einer relativ hohen Erwachsenen-Dosis von 170 µg L-Thyroxin pro 1,73 qm Körperoberfläche ergeben sich folgende Dosierungsvorschläge:

Alter (Jahre)	Oberflächenregel nach G. A. von Harnack	µg L-Thyroxin pro Tag
0	1/8	12,5
1/4	1/6	25
1/2	1/5	37,5
1	1/4	37,5
3	1/3	50
5	–	75
7 1/2	1/2	75–100
12	2/3	100

In der Regel wird mit der Hälfte der definitiven Dosis begonnen und innerhalb von 2–4 Wochen auf die volle Dosis gesteigert. Es empfiehlt sich, vor Therapiebeginn die Eltern zu informieren, daß vorübergehend eine „Verschlechterung" auftreten kann, indem das vorher ruhige Kind unruhig, reizbar, unaufmerksam und trotzig werden kann.

Überdosierung löst Aufregung, innere Unruhe, Hyperhidrosis, Tachykardie, Schlafstörungen und Durchfall aus. Durch eine Reduktion der Dosis können diese Nebenwirkungen rasch korrigiert werden.

Korrekt behandelte Kinder zeigen meist ein eindrucksvolles Aufholwachstum. Für die *Kontrolle der Therapie* eignen sich der körperliche Befund, die Wachstumskurve, die Bestimmung des Knochenalters durch Röntgenaufnahmen des Handskeletts sowie Serum-Thyroxin- und Serum-TSH-Bestimmungen.

6.5.2 Therapie der Erwachsenen-Hypothyreose

Wegen des vermehrten Sauerstoffbedarfs der Gewebe unter L-Thyroxin wird die Behandlung der Hypothyreose mit einem Bruchteil der zu erwartenden Dauersubstitutionsdosis angefangen. Die Enddosis hängt vom Alter und Körpergewicht ab und muß im Einzelfall dem klinischen Befund angepaßt werden.

Abbildung 17 zeigt ein Schema für die Substitutionsbehandlung mit L-Thyroxin. Die *Dosierung von L-Thyroxin* ist von kleinen Anfangsmengen (12,5 bis 25 μg pro Tag) allmählich in vierwöchigen Abständen zu erhöhen, wobei die Dosissteigerung vom Alter des Patienten und der Dauer der unbehandelten Krankheit abhängig zu machen ist.

Bei Betrachtung der Abbildung 16 ist es leicht verständlich, daß bei einer primären Hypothyreose bei Erhöhung der Schilddrüsenhormonspiegel die TSH-Werte allmählich abfallen müssen, während der Thyroxinspiegel langsam ansteigt.

Wird das Hormondefizit zu rasch durch Zufuhr von synthetischem L-Thyroxin behoben, kann es zu kardialen Beschwerden als Ausdruck des gesteigerten myokardialen O_2-Verbrauches kommen. Bei älteren Patienten mit koronarer Herzerkrankung sollte daher in jedem Fall mit niedrigen Dosen von etwa 12,5 μg L-T_4 pro Tag begonnen und die Steigerung in längeren Intervallen vorgenommen werden.

Man benötigt meist 3–6 Monate, bis man eine Vollsubstitution erreicht hat. Hierfür sind Dosisbereiche zwischen 75 bis 100 und 200 μg L-T_4 pro Tag erforderlich, wobei die meisten Patienten mit 100 μg L-T_4 pro Tag auskommen. Bei Beachtung der günstigeren Nüchternresorption des Thyroxin genügen im allgemeinen 100 μg L-T_4 pro Tag, um die TSH-Werte in den Normbereich zu senken (s. 4.2).

Die Substitution mit Schilddrüsenhormon muß unabhängig von Art, Schwere und Lokalisation der Störung lebenslang beibehalten werden. Eine entsprechende eingehende Information des Patienten ist erforderlich, da sonst die Behandlung erfahrungsgemäß häufig aus den verschiedensten Gründen aufgegeben wird.

Damit sind auch die wesentlichen Parameter für die *Therapiekontrolle* einer Substitutionstherapie bei Hypothyreose genannt: Es genügt die Bestimmung des Gesamtthyroxins im Serum, das im oberen Normbereich liegen

Schema der Substitutionsbehandlung mit L-Thyroxin

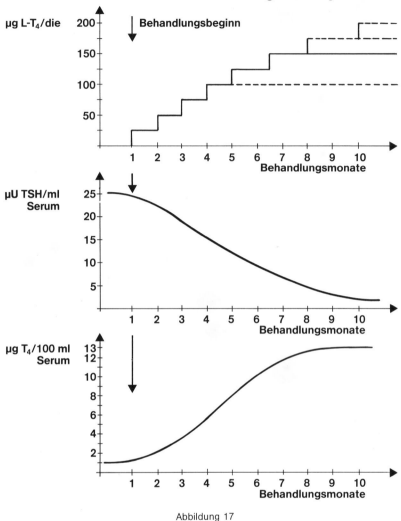

Abbildung 17

sollte, und gelegentlich die Beobachtung der TSH-Serumspiegel, die auf Normwerte gesenkt werden sollten (s. Abb. 17). Nur bei Verdacht auf Überdosierung ist eine Bestimmung des T_3-Spiegels im Serum erforderlich, wobei zu bedenken ist, daß besonders bei alten und schwerkranken Patienten wegen der dann verminderten Konversion von T_4 zu T_3 die T_3-Konzentration im Blut normal sein kann, während die T_4-Werte oberhalb der Normgrenze liegen. Die Befundkonstellation von erhöhten T_4- und

44

normalen T_3-Werten mag zwar auf den ersten Blick verwirren, entspricht aber gewissermaßen natürlichen Verhältnissen.

Bei ausreichender Substitution berichten die Patienten über ein Verschwinden praktisch aller vorher bestehenden Symptome mit Wiedererlangung einer vollen – altersentsprechenden – körperlichen Leistungsfähigkeit, Ausgeglichenheit, normalem Schlaf, Normalisierung des Gewichts, der Hautveränderungen usw. (s. Farbtafel IV.1 und 2).

Die einfache und wirksame Behandlung der Hypothyreose steht und fällt aber *mit der Zuverlässigkeit des Patienten* und der Regelmäßigkeit der ärztlichen Langzeitkontrolle. Der Hauptgrund für die mangelhafte Langzeittherapie liegt in erster Linie in der Lethargie der Patienten, die sich mit Teilerfolgen zufrieden geben und die von der Notwendigkeit einer lebenslangen Substitutionstherapie nicht genügend unterrichtet worden sind.

Interkurrente Krankheiten sind keine Kontraindikation, die Substitutionsdosis zu reduzieren oder gar die Hormontherapie abzubrechen.

Vor allem während der *Schwangerschaft* und Stillzeit ist die Schilddrüsenhormonbehandlung besonders sorgfältig durchzuführen und zu kontrollieren, da sich endokrine Belastungen ungünstig auf die hypothyreote Stoffwechsellage auswirken. Eventuell ist sogar eine Erhöhung der Dosierung notwendig, zumal ein Schilddrüsenhormonmangel der Mutter gerade im ersten Trimenon den Föten gefährdet und zu einem Abort führen kann.

Wenn eine sekundäre Nebenniereninsuffizienz besteht, sollte diese zur Vermeidung einer Addison-Krise mit genügender Steroidtherapie ausgeglichen werden, bevor die *Therapie der sekundären Hypothyreose* eingeleitet wird. Außerdem muß ein eventueller Ausfall der gonadotropen Partialfunktion des Hypophysenvorderlappens durch Gabe von Testosteron bzw. Östrogen ebenfalls substituiert werden.

Für die *Verlaufskontrolle der sekundären Hypothyreose* sind entsprechende Zusatzuntersuchungen der endokrinen Systeme (Nebennierenrinde und Gonaden), des Gesichtsfeldes, Röntgenaufnahmen des Schädels zur Beurteilung der Sella turcica und eine Untersuchung des Augenhintergrundes angezeigt. Im übrigen entspricht die Verlaufsuntersuchung derjenigen bei der primären Hypothyreose, jedoch ist die Bestimmung des TSH-Spiegels nicht sinnvoll.

6.5.3 Notfalltherapie des hypothyreoten Komas

Das hypothyreote Koma stellt das Endstadium einer nicht behandelten Schilddrüsenunterfunktion dar. Da selbst schwerste chronische Schilddrüsenhormon-Mangelzustände mit dem Leben vereinbar sind, führen erst zusätzliche Belastungen des Organismus zum Myxödem-Koma. Neben

Belastungen wie Traumen, Infekten, Streß und Kälte können vor allem sedierend wirkende Pharmaka und operative Eingriffe zum Koma führen. Durch die Zunahme der Hypoventilation mit Hyperkapnie kommt es zu einer CO_2-Narkose.

Zunächst ist der komatöse Zustand zu beherrschen, dann die Substitution des Schilddrüsenhormonmangels vorzunehmen. Die Therapie des Myxödem-Komas ist aufwendig und verantwortungsvoll und sollte, wenn möglich, auf einer *Intensivpflegeeinheit* durchgeführt werden:

a) Zur Beseitigung der Hyperkapnie sind je nach Schweregrad der respiratorischen Azidose *Intubation und künstliche Beatmung* als erste Maßnahme durchzuführen.

b) Eine *Infusion mit 100 mg Kortisol* sollte, eventuell unter Zusatz von 40 %iger Glukose (bei Hypoglykämie) als nächste Maßnahme erfolgen.

c) Die *Schilddrüsenhormonsubstitution* sollte intravenös mit dem stoffwechselaktiven L-Trijodthyronin oder dem langsamer wirkenden L-Thyroxin erfolgen. L-Trijodthyronin kann man unter EKG-Kontrolle entweder alle 12 Stunden bis zu insgesamt 100 µg L-T_3 intravenös in einer Infusion geben oder in langsamer Steigerung in den ersten 2 Tagen alle 12 Stunden 25 µg L-T_3, erst ab 3. Tag 75 µg L-T_3 und mehr pro die.

Bei zu hoher Anfangsdosis von L-Trijodthyronin i. v. kann bei besonders empfindlichen Patienten Vorhof- bzw. Kammerflimmern ausgelöst werden. Besondere Vorsicht ist geboten bei Patienten, bei welchen sich unter einer lang andauernden Hypothyreose bereits eine Koronar- oder Herzinsuffizienz ausgebildet hat.

L-Thyroxin kann initial dagegen in einer Dosierung von 300–500 µg intravenös, am besten ebenfalls in einer Infusion unter EKG-Kontrolle gegeben werden. Die Wirkung setzt erst nach etwa 5 Stunden ein. 8–24 Stunden später können weitere Thyroxindosen in Abständen von einem Tag in einer Höhe von 50–200 µg infundiert werden.

d) *Wiedererwärmung:* Wegen der Gefahr des Kreislaufkollaps nicht zu forcierte Wärmezufuhr durch Lichtbogen, Wärmflaschen oder elektrisch geheizte Bettdecke (nicht schneller als +1 °C pro Stunde).

e) *Digitalisierung* bei Herzinsuffizienz.

f) *Antibiotika* zur Infektprophylaxe.

Trotz dieses intensiven Vorgehens ist die Mortalität des Myxödem-Komas mit 40–50 % relativ hoch. Wird der komatöse Zustand überwunden, erfolgt die Nachbehandlung mit oraler Thyroxin-Substitution wie bei der Therapie der Hypothyreose.

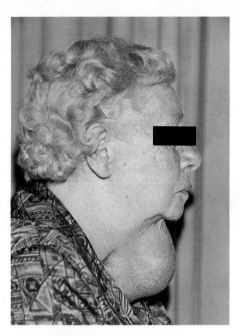

▲ I.1. Faustgroße blande Knotenstruma
(s. 5.2)

▼ I.2. Tracheale Einengung durch beiderseitige blande, gering substernal
reichende Struma diffusa (s. 5.2)

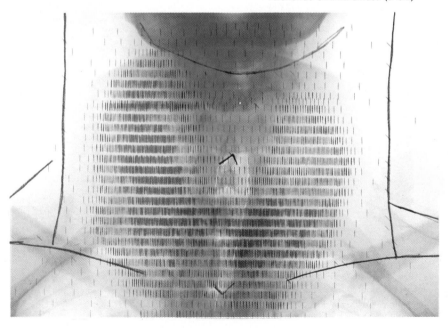

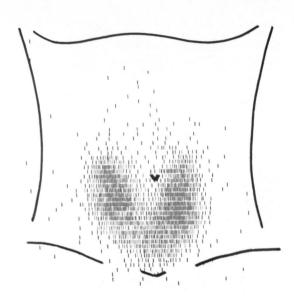

II. 1. Szintigramm einer blanden Struma
diffusa vor Schilddrüsenhormonbehandlung (s. 5.5.1)

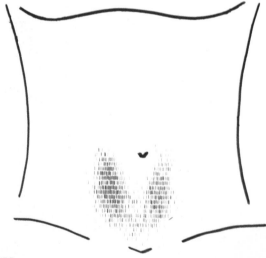

II.2. Gleiche Patientin wie in Abbildung
II.1. nach einjähriger konsequenter
Suppressionstherapie mit L-Thyroxin.
Völlige Rückbildung der Schilddrüsen-
vergrößerung (s. 5.5.1)

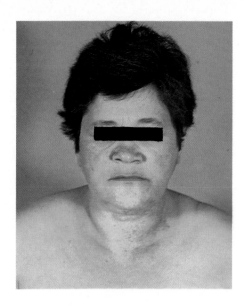

◀ III.1. Klassisches Myxödem (s. 6.3)

▼ III.2. Szintigramm und Schilddrüsenzytogramm bei Struma lymphomatosa
Hashimoto (s. 3.3.3 und 6.4)

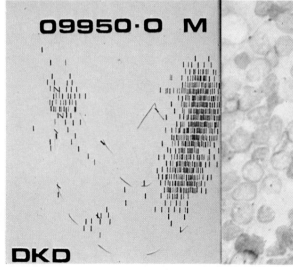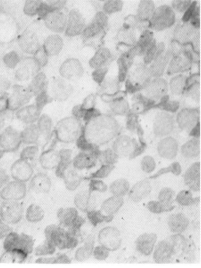

Farbtafel IV

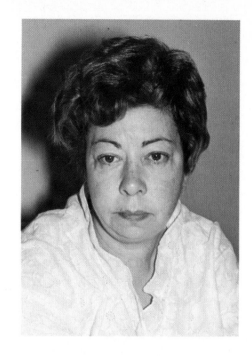

IV.1. Patientin mit erworbener
Hypothyreose nach chronischer
Autoimmunthyreoiditis (Struma
lymphomatosa Hashimoto)
(s. 6.3 und 6.5.2)

IV.2. Gleiche Patientin wie in Abbildung
IV.1. drei Monate nach Substitution der
Hypothyreose mit L-Thyroxin. Deutliche
Rückbildung der hypothyreoten
Symptome (s. 6.5.2)

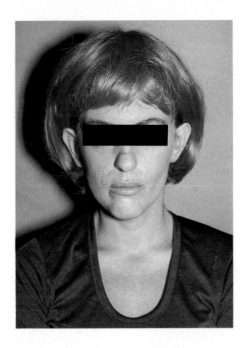

V.1. Basedow-Hyperthyreose (s. 7.3)

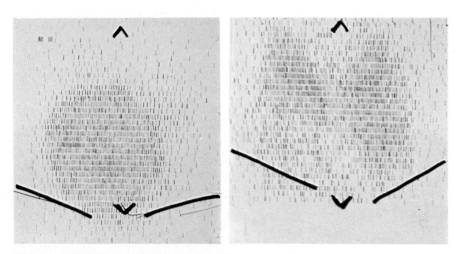

V.2. Dekompensiertes autonomes Adenom im Bereich des rechten unteren Schilddrüsenlappens, links vor, rechts 6 Monate nach erfolgreicher Radioresektion mit ^{131}J. Das vorher infolge Suppression der thyreotropen Aktivität nicht zur Darstellung kommende, nicht der Autonomie unterliegende perinoduläre Schilddrüsengewebe kommt nach der Radioresektion des autonomen Adenoms wieder zur Darstellung (s. 8.5.2)

Farbtafel VI

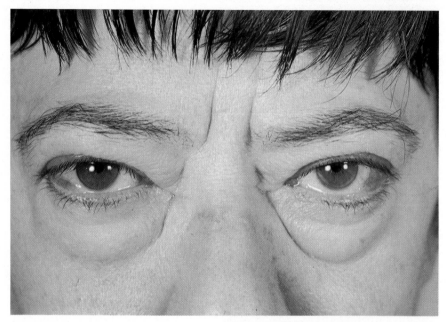

▲

VI.1. Doppelseitige endokrine Orbitopathie
mit Lidödemen, Schwellung der
Tränendrüsen, mäßigem beiderseitigem
Exophthalmus (s. 9.3)

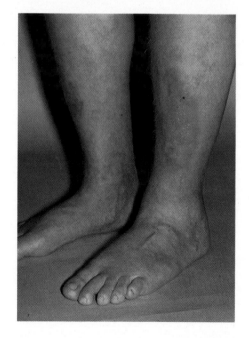

▶

VI.2. Prätibiales Myxödem mit rötlich
livider Verfärbung (s. 9.3)

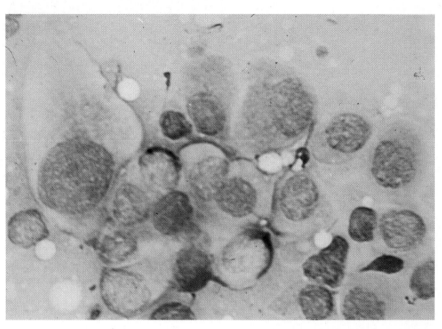

▲ VII.1. Schilddrüsenzytogramm nach
Feinnadelpunktion mit Nachweis eines
papillären Schilddrüsenkarzinoms
(s. 3.3.3 und 11.4)

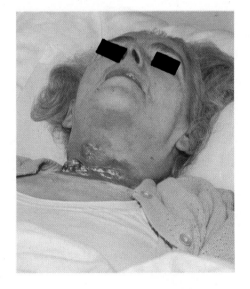

◄
VII.2. Zustand nach Thyreoidektomie,
interner und perkutaner Strahlen-
nachbehandlung wegen anaplastischen
Schilddrüsenkarzinoms mit raschem
Nachwachsen von lokalen Metastasen
(s. 11.2)

Farbtafel VIII

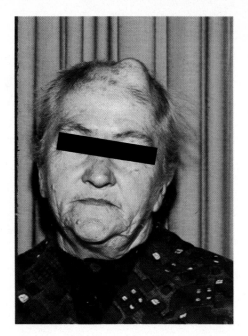

▶
VIII.1. Schädelmetastase eines follikulären
Schilddrüsenkarzinoms (s. 11.5)

▼
VIII.2. Rückbildung der Schädelmetastase
der gleichen Patientin wie in Abbildung
VIII.1. nach zweimaliger Radiojodbehandlung mit Tumordosen von je
150 mCi ^{131}J (s. 11.5)

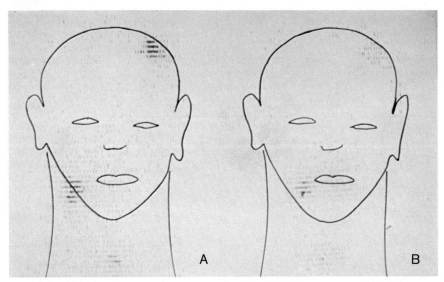

A   B

* Die in den Farbtafeln III.2. und VII.1. abgebildeten Mikrophotogramme und zytologischen
Beurteilungen verdanke ich Herrn Dr. H. Wohlenberg, Fachbereich Hämatologie-Zytologie
der Stiftung Deutsche Klinik für Diagnostik, Wiesbaden.

54

7 Hyperthyreose vom Typ des Morbus Basedow

Ebenso wie bei der Hypothyreose gibt es auch zur Hyperthyreose von der normalen über die mehr oder weniger gesteigerte Tätigkeit der Schilddrüse bis zur ausgeprägten Hyperthyreose gleitende Übergänge. In diesem Kapitel soll lediglich auf die Hyperthyreose vom Typ des Morbus Basedow eingegangen werden.

7.1 Ursachen der Hyperthyreose vom Typ des Morbus Basedow

Nach dem heutigen Stand des Wissens ist der Morbus Basedow eine genetisch determinierte, durch autoimmunologische Prozesse ausgelöste Krankheit. Thyreotrope Antikörper wie der Long Acting Thyroid Stimulator (LATS) und andere, heute meistens als Thyroid Stimulating Immunoglobulins (TSI) bezeichnet, spielen eine wesentliche Rolle bei der vom Regelkreis Hypophyse-Schilddrüse unabhängigen Stimulation der Thyreozyten (Abb. 18).

Entstehung der Hyperthyreose vom Typ des Morbus Basedow

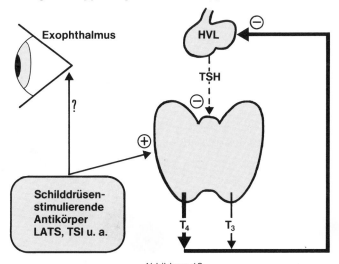

Abbildung 18

Bei der Hyperthyreose vom Typ des Morbus Basedow wird die Schilddrüse durch Autoantikörper gegen den TSH-Rezeptor stimuliert. Die TSH-Sekretion ist durch die erhöhte Schilddrüsenhormonsekretion maximal gedrosselt.

Die Rolle von Streßsituationen bei der Auslösung von Basedow-Hyperthyreosen erscheint wahrscheinlich.

In Abhängigkeit von den immunpathogenetischen Mechanismen kommt es bei der Basedow-Hyperthyreose zu spontanen Remissionen und zu

Rezidiven. Bei latenter Hyperthyreose stellt jede Jodexposition ein Risiko dar. Begleitende Immunthyreoiditiden können zu einer scheinbaren Ausheilung oder zur Hypothyreose führen. Über die Faktoren, welche die klinische Ausprägung und den Verlauf der Erkrankung bestimmen, ist wenig bekannt.

7.2 Einteilung der Basedow-Hyperthyreosen

Die Basedow-Hyperthyreose kann mit oder ohne endokrine Orbitopathie und Dermatopathie einhergehen. Da die endokrine Orbitopathie eine von der Hyperthyreose unabhängige Erkrankung darstellt, wird diese in einem gesonderten Kapitel besprochen (s. 9).

Die Hyperthyreose vom Typ des Morbus Basedow kann ohne Schilddrüsenvergrößerung, mit diffuser Struma oder mit Knotenstruma einhergehen.

Die Basedow-Hyperthyreose ist abzugrenzen gegen die Hyperthyreosis factitia bei überdosierter Verordnung von Schilddrüsenhormonen, die gelegentliche Hyperthyreose bei Schilddrüsenkarzinomen mit endokrin wirksamen Metastasen, die Hyperthyreose bei TSH-bildenden Adenomen des Hypophysenvorderlappens und anderen Tumoren, die Proteohormone mit TSH-ähnlicher Aktivität sezernieren können (extrem selten) und die Hyperthyreose beim autonomen Adenom. Während auf das autonome Adenom in einem gesonderten Kapitel (s. 8) eingegangen wird, wird auf die übrigen, relativ seltenen Erkrankungen, die meist nur passager auftreten, im Rahmen dieser Darstellung nicht im einzelnen eingegangen.

7.3 Klinik der Basedow-Hyperthyreose

Die Basedow-Hyperthyreose kommt in jedem Alter vor, zwei Drittel aller Patienten sind jedoch älter als 35 Jahre. Die Basedow-Hyperthyreose kommt bei Frauen etwa fünfmal häufiger als bei Männern vor.

Die Schilddrüsenüberfunktion manifestiert sich ähnlich wie die Struma vorwiegend in Zeiten einer insgesamt veränderten Situation des Endokriniums, so vor allem während der Pubertät, in und nach einer Schwangerschaft sowie im Klimakterium.

Die Hyperthyreose-Kranken erkennt man an glänzenden Augen, am lebhaften Mienenspiel, am unruhigen Wesen (s. Farbtafel V.1). Sie sind meist mager, klagen über Herzklopfen, innere Unruhe, Schlaflosigkeit, empfindlichen Magen, Neigung zu Durchfällen. Sie neigen zu heftigen Gemütsreaktionen, zu Schweißausbruch, plötzlichen Schwächezuständen.

Leitsymptome sind eine rasche Gewichtsabnahme bei gutem Appetit, eine feucht-warme Haut, eine Dauer-Tachykardie, eine Erhöhung des Blutdrucks und ein feinschlägiger Tremor der ausgestreckten Finger.

Vor allem *bei älteren Patienten* finden sich *atypische Verlaufsformen,* bei denen nur wenige Symptome wie Gewichtsabnahme, Apathie, Adynamie, Herzinsuffizienz und Depression sowie gelegentlich Tachykardien vorkommen. An eine Alters-Hyperthyreose sollte häufiger gedacht werden. Wenn eine Schilddrüsenvergrößerung vorliegt, ist häufig ein Schwirren aufgrund der vermehrten Durchblutung der Schilddrüse über der Struma zu hören. Wenn keine Struma vorhanden ist und wenn keine endokrinen Augensymptome vorliegen, bereitet die klinische Abgrenzung gegenüber psychovegetativen Störungen oft Schwierigkeiten.

7.4 Diagnose der Basedow-Hyperthyreose

Zum Nachweis einer Hyperthyreose dienen die Bestimmung der Schilddrüsenhormone Thyroxin und Trijodthyronin im Serum, ggf. kombiniert mit einem Parameter für das freie Thyroxin. Bei oligosymptomatischen Verlaufsformen kann der TRH-Test, z. B. zum Nachweis einer Hyperthyreose mit T_3-Erhöhung notwendig werden. *Der Radiojodzweiphasentest wird heute nur noch gelegentlich zur Differentialdiagnose einer Hyperthyreosis factitia, einer subakuten Thyreoiditis mit hyperthyreoter Phase und vor allem zur Berechnung einer therapeutischen Radiojoddosis vor Radiojodtherapie angewandt.* In jedem Fall ist jedoch eine Szintigraphie der Schilddrüse (vor allem auch zur differentialdiagnostischen Abgrenzung gegenüber dem autonomen Adenom) und eine Bestimmung der Thyreoglobulin- und der mikrosomalen Antikörper zur Differentialdiagnose gegenüber den verschiedenen Formen der Thyreoiditis angezeigt. Das Auftreten von vorwiegend mikrosomalen Schilddrüsenantikörpern ist für die Hyperthyreose vom Typ des Morbus Basedow charakteristisch.

7.5 Therapie der Basedow-Hyperthyreose

Aufgrund der Pathogenese des Morbus Basedow ist jede Art der Therapie rein symptomatischer Natur. Eine echte Heilung ist nicht möglich. Eine Behandlung mit Thyreostatika überbrückt den Zeitpunkt bis zum Auftreten einer Spontanremission. Eine subtotale Strumektomie oder eine Radiojodbehandlung erzielen ihren Effekt lediglich über eine Verkleinerung des funktionstüchtigen Schilddrüsenparenchyms, ohne jedoch in den Grundprozeß einzugreifen. Da der spontane Verlauf der Erkrankung durch in unregelmäßigen Zeitintervallen auftretende Remissionen und Rezidive gekennzeichnet ist, kann der individuelle Verlauf sehr verschieden sein. Einige Patienten können nach thyreostatischer Behandlung über Jahre hinaus eine „normale" Schilddrüsenfunktion haben, andere Patienten können auch nach Ausschöpfen aller therapeutischen Möglichkeiten erneut in ein Rezidiv kommen. Andere Patienten wiederum können durch immunthyreoiditische Prozesse, vor allem nach Strumaresektion und Radiojodbehandlung, hypothyreot werden.

Nach wie vor gibt es immer wieder Meinungsverschiedenheiten zwischen Internisten, Chirurgen und Strahlentherapeuten, welche Therapieform im speziellen Fall die beste für einen Patienten ist. Die „Sektion Schilddrüse" der Deutschen Gesellschaft für Endokrinologie empfiehlt folgende Indikationen für die einzelnen Therapieformen bei Basedow-Hyperthyreose:

a) *Thyreostatika:*
- Keine Struma
- Kleine Struma ohne mechanische Symptome
- Gravidität
- Kinder
- Schwere Formen und zur Vorbereitung der Operation oder Radiojodbehandlung (bei letzterer auch Intervalltherapie)
- Jodkontamination

b) *Subtotale Strumektomie:*
- Große noduläre Struma
- Struma mit mechanischen Symptomen
- Struma mit kalten Bezirken im Szintigramm
- Gravidität
- Rezidive nach thyreostatischer Therapie

c) ^{131}J-Therapie
- Patienten, die älter als 40 Jahre sind,
- Keine Struma
- Mittelgroße diffuse Struma
- Rezidive nach thyreostatischer oder operativer Therapie
- Kontraindikationen gegen Operation
- Ausgeprägte Allergie gegen Thyreostatika.

Im Einzelfall sind Schwere, Grad der Erkrankung, Art und Größe der Struma, Alter des Patienten sowie eventuell bestehende Begleiterkrankungen bei der Wahl einer optimalen individuellen Therapie zu berücksichtigen.

7.5.1 Medikamentöse Therapie

In der Praxis wird man bei sicher nachgewiesener Hyperthyreose *in den meisten Fällen* zunächst *mit einer thyreostatischen Behandlung beginnen.* Die *Anfangsdosis* der gebräuchlichen antithyroidalen Substanzen beträgt für Carbimazol 30–40 mg, Methimazol 40–60 mg und Propylthiouracil 300–600 mg pro die. Entsprechend dem einsetzenden Effekt erfolgt eine langsame Reduktion auf eine *Erhaltungsdosis.* Diese beträgt für Carbimazol und Methimazol 5–20 mg und für Propylthiouracil 30–300 mg pro Tag. Die Thyreostatika hemmen die Hormonsynthese in der Schilddrüse, indem sie die Bildung von Dijodtyrosin und Monojodtyrosin, den beiden Vorstufen der Schilddrüsenhormone T_3 und T_4 (s. Abb. 3) verhindern. Thyreostatika, die die Jodidaufnahme in die Schilddrüse hemmen, indem sie die Bindungsstellen für das Jodid an den Thyreozyten verdrängend besetzen, wie Perchlorat-Präparate, werden heute praktisch nicht mehr eingesetzt, da sie den Nachteil haben, daß jegliche diagnostische oder therapeutische Radiojodgabe beeinträchtigt wird und daß erhebliche Nebenwirkungen zu beobachten sind.

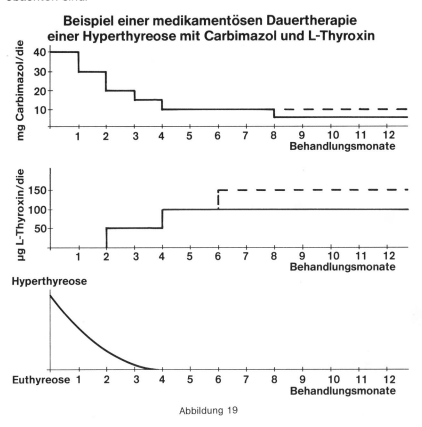

Beispiel einer medikamentösen Dauertherapie einer Hyperthyreose mit Carbimazol und L-Thyroxin

Abbildung 19

Nach Erreichen eines euthyreoten Zustandes hat es sich bewährt, *zusätzlich ein L-Thyroxin-Präparat* zu verordnen. Die begleitende Medikation von Schilddrüsenhormon gleicht leichtere Überdosierungen der Thyreostatika aus und vermindert die Vergrößerungstendenz der Schilddrüse. Die Schilddrüsenhormongabe sollte erst einsetzen, wenn die peripheren Hormonspiegel im unteren Normbereich liegen, d. h. in der Regel zwei Monate nach Beginn der thyreostatischen Therapie. Anders als bei der Therapie der blanden Struma wird das Schilddrüsenhormon niedriger dosiert. Eine Vollsubstitution würde nämlich auch höhere Thyreostatikadosen erforderlich machen. Darüber hinaus ist eine komplette Blockade der thyreoidalen Hormonsynthese, besonders der von Trijodthyronin, nur selten durch

Thyreostatika zu erzielen. Die *Zusatztherapie* setzt im allgemeinen mit 50 µg pro die ein und sollte *mit 100 µg* (selten mit 150 µg) *L-Thyroxin* pro Tag bis zur Beendigung der thyreostatischen Therapie fortgesetzt werden. In Abbildung 19 ist die medikamentöse Dauertherapie einer Hyperthyreose mit Carbimazol und L-Thyroxin schematisch dargestellt.

Da die thyreostatische Medikation die Hormonneusynthese, nicht aber die Sekretion der bereits synthetisierten Schilddrüsenhormone hemmt, empfiehlt sich im Anfang einer thyreostatischen Behandlung *zusätzlich* die Verordnung sedierender Medikamente und wegen der erhöhten adrenergen Stimulation die *Gabe von β-Rezeptorenblockern,* jedoch nicht in der Gravidität.

Durch die kurzfristige orale Behandlung mit β-Rezeptorenblockern wird die Tachykardie einer Hyperthyreose vermindert. Der durchschnittliche Normalwert der Pulsfrequenz wird meist nicht erreicht. Die Frequenzsenkung ist weniger ausgeprägt und variabler bei Tachykardien unter Belastung. Der Patient verspürt weniger Herzklopfen. Auch die extrakardiale Symptomatik wird günstig beeinflußt. Eine reine Therapie mit β-Rezeptorenblockern ist jedoch abzulehnen. Die negativ inotrope Wirkung der β-Rezeptorenblocker auf das Myokard ist zu beachten.

Bei der heute üblichen Behandlung mit verschiedenen Thioharnstoffderivaten sollte die Behandlung mindestens ein Jahr, besser zwei Jahre lang durchgeführt werden. Denn das Grundprinzip der thyreostatischen Therapie besteht darin, daß die Mehrsekretion von Schilddrüsenhormon so lange gehemmt wird, bis die Hyperthyreose in eine spontane Remission übergegangen ist.

Die früher übliche Behandlung mit höheren Initialdosen ist verlassen worden, da dadurch kein therapeutischer Vorteil erreicht wird, andererseits aber das Risiko von Nebenwirkungen (Veränderungen des Blutbildes, s. u.) deutlich ansteigen kann. Bei stärkerer Jodprämedikation ist oft über längere Zeit eine höhere Dosierung nötig, ehe sich ein Therapieeffekt einstellt.

Als *Vorteile der thyreostatischen Therapie* ergeben sich:
- ihre relativ einfache ambulante Durchführung;
- ihr schneller Wirkungseintritt nach 2–4 Wochen;
- das Ausbleiben irreversibler Hypothyreosen.

Ihre *Nachteile* betreffen:
- Eine im Vergleich mit anderen Therapieformen länger erforderliche Kooperation von Arzt und Patient. Sie gelingt in etwa 75 % der Fälle. Wenn Besonderheiten der Situation des Patienten wie existentielle Gründe, die eine schnelle Besserung verlangen, dem entgegen stehen, sollten andere Therapieformen in Erwägung gezogen werden.

- Nebenwirkungen, die allergischer oder toxischer Art sind. Die toxischen

Nebenwirkungen sind dosisabhängig. Die Gesamthäufigkeit liegt zwischen 2 und 10 %, für schwere Formen jedoch nur zwischen 0,2 und 1 %. Bei leichteren allergischen Reaktionen genügt häufig ein Antihistaminikum, gelegentlich auch das Umsetzen auf ein anderes Präparat, da die Allergie oft nicht gruppen-, sondern nur substanzspezifisch ist. Leichtere toxische Leukopenien und Thrombozytopenien sind nicht selten, verschwinden jedoch bei Dosisreduktion.

– Die im Vergleich mit anderen Therapieformen relativ hohe Rezidivrate von im Mittel 40 %. Auf der anderen Seite kann in 40–70 % der Fälle bei kleinen, diffusen hyperthyreoten Strumen nach mindestens ein- bis zweijähriger thyreostatischer Therapie eine euthyreote Stoffwechsellage erreicht werden und mit 30–50 % permanenten Remissionen gerechnet werden, ohne daß eine destruktive Therapie notwendig wird.

Die *Behandlung der Hyperthyreose in der Schwangerschaft* stellt ein besonderes Problem dar, da die Thyreostatika diaplazentar übergehen und die Schilddrüse des Föten erreichen, während die Schilddrüsenhormone die Plazentarschranke nicht passieren, allenfalls Trijodthyronin in sehr kleinen Mengen. Es wird daher eine möglichst niedrig dosierte thyreostatische Therapie als Mittel der Wahl empfohlen mit dem Ziel, die Stoffwechsellage im Grenzbereich Hyper-Euthyreose einzustellen. Ein solches Vorgehen gewährleistet am besten die anzustrebende, möglichst niedrige Dosierung und reduziert die Wahrscheinlichkeit einer thyreostatischen Wirkung auf die fötale Schilddrüsenfunktion und Auswirkung auf die Organogenese des Föten. Es wird eine Dosis von durchschnittlich 20–30 mg Carbimazol für die Anfangsbehandlung empfohlen. Unter strenger Therapiekontrolle sollte versucht werden, mit einer möglichst geringen Erhaltungsdosis von (2,5) bis 5 oder maximal 10 mg Carbimazol pro Tag ohne die zusätzliche Gabe von L-Thyroxin auszukommen. Im Verlauf einer Gravidität bessert sich oft eine Hyperthyreose von selbst. Teratogene Wirkungen von Thyreostatika sind nicht bekannt.

Nach der Entbindung muß die Mutter bei Fortsetzung der thyreostatischen Therapie zur Verhinderung einer Strumabildung beim Säugling abstillen.

Die hier angegebenen therapeutischen Maßnahmen gelten vor allem für Hyperthyreosen, die im Verlauf einer Schwangerschaft auftreten. Bei bekannter Hyperthyreose sollten Frauen im reproduktionsfähigen Alter mindestens bis zum Eintritt der Spontanremission in irgendeiner Form eine Schwangerschaftsverhütung durchführen.

Die *Verlaufsuntersuchungen (s. Abb. 20) bei einer medikamentösen Therapie der Hyperthyreose* sollten anfangs in zweiwöchigen, später in sich langsam bis auf 8–12 Wochen ausdehnenden Abständen erfolgen. Im Vordergrund steht die körperliche Untersuchung und als objektivierbare Parameter vor allem das Verhalten des Körpergewichts, der Pulsfrequenz und der Blutdruckamplitude.

Verlaufsuntersuchungen bei Behandlung
einer Hyperthyreose vom Typ des M. Basedow

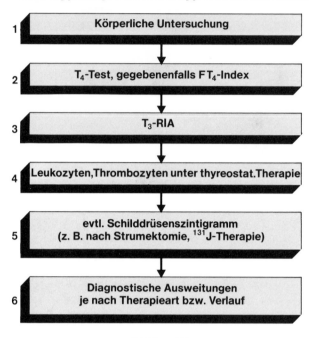

1. Körperliche Untersuchung

2. T₄-Test, gegebenenfalls FT₄-Index

3. T₃-RIA

4. Leukozyten,Thrombozyten unter thyreostat.Therapie

5. evtl. Schilddrüsenszintigramm (z. B. nach Strumektomie, ¹³¹J-Therapie)

6. Diagnostische Ausweitungen je nach Therapieart bzw. Verlauf

Abbildung 20

Unter den laborchemischen Parametern ist der *Serum-Thyroxinspiegel,* der 6 µg/100 ml nicht unterschreiten sollte (und bei schwangeren Patienten bei 12 µg/100 ml liegen sollte) zu kontrollieren. Der *Serum-T_3-Spiegel* steigt häufig bei Fortbestehen der klinischen Symptomatik, wahrscheinlich aufgrund eines relativen Jodmangels in kleineren, überfunktionierenden Follikeln im Sinne einer T_3-Hyperthyreose an. Wird eine isolierte Hypertrijodthyroninämie nachgewiesen, ist trotz normalen Serum-T_4-Spiegels die thyreostatische Dosis vorübergehend zu erhöhen. Die Änderung des klinischen Bildes erfolgt oft später als die des Hormonspiegels. Dem TRH-Test kommt unter thyreostatischer Therapie keine Bedeutung zu, zumal die meist gleichzeitige Gabe von Schilddrüsenhormon eine solche Untersuchung obsolet macht und der TRH-Test oft nach Eintreten einer Remission noch lange ein negatives Ergebnis zeigt (s. 3.2.5).

Leukozyten und Thrombozyten sind am Anfang wöchentlich, später nur etwa alle 3 Monate (bei Auftreten von Anginen oder anderen Infekten häufiger) wegen einer möglichen Depression der Blutbildung unter thyreostatischer Therapie zu kontrollieren. Der Patient sollte informiert werden,

62

bei beginnender Stomatitis oder Angina sowie bei Beobachtung von Exanthemen, Enanthemen, Urtikaria, Lymphknotenschwellungen, Polyneuritis, Konjunktivitis, Fieber, Cholestase, Magen-Darmbeschwerden den Arzt aufzusuchen.

Die alkalische Phosphatase ist bei hyperthyreoter Stoffwechsellage infolge eines erhöhten Knochenstoffwechsels häufig erhöht. Erhöhungen der Leberphosphatase unter Thyreostatikatherapie sind selten.

Jeder Patient, der eine Schilddrüsenüberfunktion durchgemacht hat, bedarf einer systematischen Kontrolle, auch nach erfolgreichem Therapieabschluß. In den ersten 1–2 Jahren sollte sie zweimal jährlich, später etwa alle 2 Jahre erfolgen. Nur auf diese Weise werden Rezidive und vor allem latente oder manifeste Späthypothyreosen rechtzeitig erkannt. Rezidive können durch Jodgaben provoziert werden. Deshalb ist eine entsprechende Information der Patienten unerläßlich. Bei Patienten, bei denen Jodgaben, z. B. in Form von Röntgenkontrastmitteln, nach abgelaufener Hyperthyreose aus anderen Gründen erforderlich werden, sollte eine passagere thyreostatische „Schutzmedikation" durchgeführt werden.

Ist es nach ein- bis zweijähriger Pharmakotherapie der Basedow-Hyperthyreose nach einem Auslaßversuch zu keiner Remission gekommen, sollte der Therapieplan geändert und die Entscheidung zu einer definitiven Behandlung gefällt werden.

7.5.2 Subtotale Strumektomie

Die Operation ist die schnellste Möglichkeit, eine euthyreote Stoffwechsellage definitiv zu erreichen. Die Indikation zur operativen Behandlung wird heute großzügiger gestellt, einmal weil größere und noduläre Strumen im allgemeinen schlecht auf eine thyreostatische Therapie ansprechen, zum anderen weil durch die modernen Operationstechniken und Anästhesieverfahren das Operationsrisiko gering ist. Ausschlaggebend für eine zunehmende Befürwortung der chirurgischen Hyperthyreosetherapie sind die unbefriedigenden Dauererfolge der zeitlich aufwendigen medikamentösen Therapie und die begrenzte Anwendbarkeit der ^{131}J-Bestrahlung bei zahlenmäßig häufiger an Basedow-Hyperthyreose beteiligten jüngeren Patienten im generationsfähigen Alter.

In Ergänzung zu der in Abschnitt 7.5 aufgeführten Tabelle ergeben sich folgende *Operationsindikationen* bei Basedow-Hyperthyreose:

a) Große Strumen, vornehmlich bei mechanischer Beeinträchtigung (Trachealstenose, Einflußstauung, Dysphagie)

b) Erfolglose medikamentöse Therapie
   – von vornherein
   – Exazerbation nach Auslaßversuch
   – mangelnde Kooperationsfähigkeit

c) Malignitätsverdacht (szintigraphisch „kalte" Knoten)

d) Gravidität (2.–3. Trimenon)

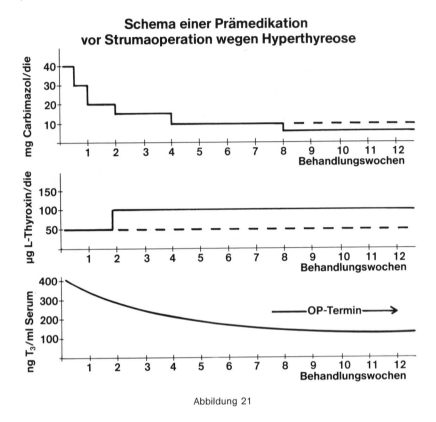

**Schema einer Prämedikation
vor Strumaoperation wegen Hyperthyreose**

Abbildung 21

Die Verfügbarkeit wirksamer medikamentöser Behandlungsverfahren zur *Operationsvorbereitung einer Hyperthyreose* ist ausschlaggebend für die Risikominderung der chirurgischen Therapie. Das beabsichtigte Ziel, den operativen Eingriff unter normalisierten Stoffwechselbedingungen durchzuführen, wird am zuverlässigsten durch die langfristige Verordnung von Thyreostatika erreicht. Nach Erreichen der Euthyreose verhindert die ergänzende Thyroxin-Verordnung ein weiteres Kropfwachstum und vermindert die Strumablutung. Das Vorgehen einer derartigen Operationsvorbereitung ist schematisch in Abbildung 21 dargestellt. Von besonderem Vorteil ist die zeitlich beliebige Wahl des Operationstermins.

Zusätzlich bewährt sich zur Blockade der peripheren Hormonwirkung die Gabe von β-Rezeptorenblockern. Die früher geübte, alleinige hochdosierte Jodtherapie (Plummerung) wird heute nur noch wenig praktiziert.

Die Reduzierung der Struma bis auf ein beiderseitiges Restparenchym von etwa 5–8 g gewährleistet nach allgemeiner Erfahrung ein gutes Behandlungsresultat, d. h. eine geringe Rezidiv-Hyperthyreoserate und eine geringe Hypothyreoserate.

Postoperativ sollten die β-Rezeptorenblocker 4–5 Tage weiter gegeben werden wegen des infolge der Operation mit Ausschüttung von Schilddrüsenhormon noch erhöhten peripheren Schilddrüsenhormonspiegels.

Eine obligatorische postoperative Rezidivprophylaxe durch L-Thyroxin-Verordnung ist im Gegensatz zur Operation einer blanden Struma nicht dringend erforderlich, da das Kropf-Rezidivrisiko niedrig anzusehen ist. Auf der anderen Seite ist wegen der Hypothyreosegefährdung eine dauerhafte Nachsorge wichtig. Ob eine Thyroxin-Substitution notwendig ist, sollte nach dem Ergebnis der Funktionsuntersuchungen (Abb. 20) entschieden werden.

Obwohl heute die unmittelbaren Komplikationen der operativen Therapie einer Hyperthyreose, z. B. die Mortalität und die thyreotoxische Krise, fast ganz ausgeschlossen sind, sind folgende Komplikationsmöglichkeiten zu beachten:

Parathyreoprive Tetanie in etwa 2–4 % (daher Kalzium-Kontrollen zum Nachweis eines latenten Hypoparathyreoidismus bis 6 Monate nach der Operation empfehlenswert), Rekurrensparesen in etwa 5 % (zum größten Teil passager), Hyperthyreoserezidive in etwa 1–6 %, postoperative Hypothyreosen in etwa 4–6 %, Spät-Hypothyreosen in etwa 20 %.

Hieraus ergeben sich folgende Vor- und Nachteile für die operative Therapie der Basedow-Hyperthyreose.

Die *Vorteile der operativen Behandlung* betreffen:
– ihre Wirksamkeit in kurzer Zeit in 90 % der Fälle;
– die geringe Rezidivquote von 1–2 %;
– die sichere Beseitigung mechanischer Symptome.

Dem stehen folgende *Nachteile* gegenüber:
– lokale Nebenwirkungen wie Rekurrensparese, permanenter Hypoparathyreoidismus, deren Häufigkeit bei einem Zweiteingriff deutlich ansteigt;
– die Hypothyreoserate, die mit über 20 % Spät-Hypothyreosen relativ hoch ist, bei Zurücklassen von Schilddrüsenrestlappen von je ca. 8 g jedoch unterschritten werden kann. Hierbei sollte auch der Einfluß gleichzeitig vorhandener Schilddrüsenantikörper beachtet werden. Bei erhöhten Titern sollte man weniger resezieren, da in diesen Fällen die Hypothyreoserate höher liegt.

Kontraindikationen für die chirurgische Behandlung sind Rezidivstrumen mit Hyperthyreose, hohes Alter, Herzinsuffizienz, respiratorische Insuffizienz etc.

7.5.3 Radiojodtherapie

Ein Teil der Kontraindikationen für die operative Behandlung der Basedow-Hyperthyreose stellt gleichzeitig die Indikation zur zweiten Möglichkeit einer definitiven Hyperthyreose-Therapie, der Gabe von Radiojod, dar. Sie ist, wie in der Tabelle in Abschnitt 7.5 aufgeführt, *indiziert bei*
- Patienten, die älter als 40 Jahre sind
- bei Patienten ohne und mit Struma
- bei Rezidiven nach thyreostatischer Therapie
- bei Rezidiven nach subtotaler Strumektomie
- bei Kontraindikation zur Operation
- bei allergischen und toxischen Phänomenen bei thyreostatischer Therapie.

Während in letzter Zeit zunehmend operiert wird, ist der prozentuale Anteil der Radiojodbehandlung in den vergangenen Jahren nahezu konstant geblieben. Das therapeutische Prinzip beruht wie bei der Radiojodtherapie der Struma (s. 5.5.3) darauf, daß ^{131}J Schilddrüsengewebe zerstört, das durch Narbengewebe ersetzt wird. Schilddrüsenfollikel bleiben in Nestern erhalten. Die erzielte Destruktion ist irreversibel und schreitet, auch ohne erneute Radiojodgabe fort. Der Gewebsuntergang kann nicht durch Regeneration, wie nach einer Operation, kompensiert werden. Der fortschreitende Gewebsuntergang kann Ursache einer Spät-Hypothyreose sein. Gleichzeitig verhindert dieser Ablauf aber auch das Rezidiv der Hyperthyreose.

Da die hyperthyreote Struma etwa doppelt so empfindlich gegen die ionisierende Strahlung des ^{131}J ist als die blande Struma mit Euthyreose, sind zur Normalisierung des hyperthyreoten Stoffwechsels *Herddosen von nur 5.000–7.000 rad* erforderlich. Je nach Größe der Schilddrüse müssen hierfür 4–12 mCi ^{131}J appliziert werden.

Wie die Radiojodverkleinerungstherapie (s. 5.5.3) muß auch die Behandlung der Basedow-Hyperthyreose in speziellen nuklearmedizinischen Einheiten stationär während eines 5- bis 10tägigen Aufenthaltes durchgeführt werden.

Als Nebenwirkung der Radiojodtherapie kann es zu einem akuten Anstieg der Schilddrüsenhormonspiegel im Serum kommen. Auch aus diesem Grund ist eine stationäre Beobachtung gerade der Patienten, die wegen Hyperthyreose mit Radiojod behandelt werden, angezeigt. Die gleichzeitige Gabe von β-Rezeptorenblockern (s. Abschnitt 7.5.1) hat sich bewährt.

Vom Moment der ^{131}J-Gabe an ist die Wirkung der Radiojoddosis nicht mehr beeinflußbar. Die volle Wirkung wird frühestens nach 2–3 Monaten erkennbar. Bei akuter Erkrankung und bedrohlicher Progredienz, die eine sofort wirkende Intervention notwendig machen, hat die Radiojodtherapie daher keine Indikation. Die Behandlung kann allerdings nach einer thyreostatischen Vorbehandlung erfolgen, da durch die Thyreostatika der Thioharnstoffgruppe keine Blockade der thyreoidalen Radiojodaufnahme erfolgt. Da wegen der begrenzten Kapazität der nuklearmedizinischen Therapieeinheiten oft ohnehin eine sofortige Aufnahme nicht möglich ist, hat sich die Vorbehandlung und auch die Nachbehandlung mit Thyreostatika in der in Abschnitt 7.5.1 beschriebenen Weise bewährt.

Kontrolluntersuchungen sollten 3–6 Monate nach der Therapie erfolgen. Bei erreichter Euthyreose sollte mindestens alle 2 Jahre nachuntersucht werden, und zwar nach dem in Abbildung 20 dargestellten Schema.

Vorteile der Radiojodtherapie sind:
- die einfache Durchführung;
- die Wirksamkeit in 90 % der Fälle;
- die geringe Rezidivrate (allerdings abhängig von der individuellen[131]J-Dosis) und eine geringe Exazerbationsrate nach der Therapie;
- das Fehlen lokaler Nebenwirkungen.

Dem stehen folgende *Nachteile* gegenüber:
- Eine Latenzzeit von 2–4 Monaten bis zum vollen Wirkungseintritt und bei Notwendigkeit einer Zweittherapie ein erneuter Radiojodzweiphasentest zur Dosisberechnung;
- ein begrenzter Verkleinerungseffekt bei ausgeprägten und nodulären Strumen, wobei jedoch zu bedenken ist, daß in der Mehrzahl der Fälle eine Abnahme oder Beseitigung der mechanischen Symptome erreicht werden kann;
- die Möglichkeit des Übergangs in eine Hypothyreose auch noch nach vielen Jahren;
- eine Strahlenexposition des Patienten.

Der letztgenannte Nachteil ist gering einzuschätzen, da die Strahlenbelastung der Gonaden nach den üblichen Radiojoddosen in einer Größenordnung liegt, die man bei einer Röntgenuntersuchung des Magen-Darmkanals oder der Nieren ohnehin in Kauf nimmt (s. auch 5.5.3). Eine Erhöhung der Leukämierate oder ein Anstieg der Häufigkeit von Schilddrüsenkarzinomen ließ sich bei großen Statistiken nicht nachweisen. Auch ein Anstieg der Mißbildungsrate fand sich nicht.

Absolute *Kontraindikationen* sind die Schwangerschaft, die Stillzeit und das jugendliche Alter.

7.5.4 Notfalltherapie der thyreotoxischen Krise

Die thyreotoxische Krise ist eine seltene, aber immer lebensbedrohliche Komplikation einer Basedow-Hyperthyreose (und gelegentlich auch eines autonomen Adenoms). Ihre Ursachen sind nach wie vor unbekannt. Ihr Eintreten ist nicht vorhersehbar. Jede zusätzliche Belastung, besonders schwere Zweiterkrankungen, Operationen und Jodmedikationen können bei florider Hyperthyreose eine Krise auslösen.

Bei dieser akut lebensbedrohlichen Dekompensation des Organismus gegenüber der Wirkung erhöhter Schilddrüsenhormonkonzentrationen handelt es sich immer um eine vital gefährdende dramatische Notfallsituation.

Aus diesem Grund kommt der *Prävention der thyreotoxischen Krise* durch adäquate Behandlung der Hyperthyreose und einer verantwortungsvollen Diagnostik bei Hyperthyreoseverdacht *eine entscheidende Rolle* zu. Hierzu gehört einerseits, daß eine thyreostatische Therapie nicht frühzeitig abgebrochen wird, eine subtotale *Strumaresektion nur in euthyreoter Stoffwechsellage* vorgenommen wird, schwere Hyperthyreosen nicht ausschließlich mit Radiojod behandelt werden, Zweiterkrankungen bei bestehender Hyperthyreose intensiv behandelt werden, eine Jodexposition bei bestehender Hyperthyreose vermieden wird, andererseits daß im Rahmen der Hyperthyreose-Diagnostik Stimulation mit TSH bei klinisch dekompensiertem autonomen Adenom bzw. Suppressionen mit Trijodthyronin bei klinisch kompensierten autonomen Adenomen der Schilddrüse unterlassen werden.

Die *Diagnose* einer thyreotoxischen Krise ist in erster Linie klinisch zu stellen. *Kardinalsymptome* der thyreotoxischen Krise sind eine Hyperthermie bis 41 °C, bedingt durch enorme Stoffwechselsteigerung ohne Hinweise für einen akuten Infekt. Die Haut und Schleimhäute sind hochrot und heiß, es kommt zu einer raschen Exsikkose des Patienten infolge der Hyperhidrosis. Weitere Flüssigkeitsverluste sind durch Erbrechen und profuse Durchfälle möglich, so daß eine Hyperosmolarität besteht. Die Tachykardie kann bis zu 200 Schläge pro Minute erreichen. Vorhofflattern bzw. Vorhofflimmerarrhythmie und Kammerflimmern führen zur kardialen Dekompensation mit Blutdruckabfall und Kreislaufkollaps. Psychomotorische Unruhe, Angst und Verwirrtheit des Patienten, aber auch Apathie und schwere Adynamie mit schlaffer Muskulatur führen schließlich zur Somnolenz und zum Koma. Eine spezielle Diagnostik, etwa durch spezifische Labortests, ist infolge des hoch akuten Krankheitsbildes fast immer unmöglich. Anamnese, vor allem das Wissen um eine vorbestehende Hyperthyreose, auslösende Faktoren und klinisches Bild reichen im allgemeinen für die Diagnose aus.

Bei geringstem Verdacht, daß sich eine thyreotoxische Krise anbahnt, sollte man nicht zögern, umgehend mit einer entsprechenden Behandlung zu beginnen, da die Prognose sehr rasch ungünstig wird. Eine thyreotoxische Krise sollte, wenn irgend möglich, wie das Myxödem-Koma in einer *Intensivpflegeeinheit* behandelt werden. Für die Praxis ist wichtig, daß man durch entschlossene Anbehandlung kostbare Zeit für die Weiterbehandlung in der Klinik gewinnen kann. Liegt der Verdacht auf Entwicklung einer Krise nahe, sollten sofort 2 Ampullen Thiamazol (80 mg) intravenös, zusätzlich etwa 100 mg eines wasserlöslichen Glukokortikoid-Präparates sowie bei ausreichendem Blutdruck 0,25–0,5 mg Reserpin intravenös verabreicht werden.

In der Klinik schließt sich im allgemeinen ein *polypragmatisches Vorgehen* an mit einer *Dauerinfusion von* 160–240 mg *Methimazol* sowie etwa 800 mg *Proloniumjodid* pro Tag. Höhere Jodgaben haben keinen größeren Effekt, sondern führen nicht selten zu einer verstärkten Bronchialsekretion, die den Zustand des Patienten infolge erschwerter Atmung weiter verschlechtern kann. Bei vorausgegangenen hohen Jodgaben sind therapeutische Jodgaben jedoch unwirksam und sollten unbedingt vermieden werden. An ihrer Stelle ist die intravenöse Gabe von Lithiumchlorid (1.500 mg pro Tag) erfolgversprechend, da es vor allem die proteolytische Freisetzung von in der Schilddrüse präformierten Hormonen hemmt.

An zweiter Stelle steht die Gabe von *Sympathikolytika* wegen der bedrohlichen, vor allem kardiovaskulären Symptome, d. h. die Gabe von Reserpin (0,5 mg mehrmals täglich) sowie von β-Rezeptoren-blockierenden Substanzen, bei denen die negativ inotrope Wirkung auf das Myokard sowie Bronchospasmus und Lungenödem zu beachten ist.

Der Einsatz von *Glukokortikoiden* ist unbestritten zur Substitution der Nebennierenrinde, deren Erschöpfung unter der extremen Streßsituation und den hohen Schilddrüsenhormonspiegeln manifest wird. Die Glukokortikoide hemmen gleichzeitig die periphere Konversion von Thyroxin zu Trijodthyronin. Die Störungen des Mineralhaushaltes durch die hohen Glukokortikoidgaben wie Hypokaliämie und Hypernatriämie sind zu beachten.

Additive Maßnahmen umfassen hohe Flüssigkeits- und Kalorienzufuhr, Sedierung, die Gabe von Antibiotika, eine ausreichende Digitalisierung und vor allem auch eine Thromboembolie-Prophylaxe mit mittleren Heparindosen. Eine Auffüllung der Glykogenspeicher wird durch Laevulose bzw. Glukose unter gleichzeitiger Gabe von Alt-Insulin erreicht. Wenn möglich, sollte eine zusätzliche hochkalorische Sondenernährung zur Vermeidung einer Hungerazidose durchgeführt werden. Von einer Unterkühlung, eventuell durch Antipyretika eingeleitet, die am besten im Temperaturzelt mit der Möglichkeit einer gleichzeitigen Sauerstoffzufuhr durchgeführt wird, erwartet man eine Reduktion der extrem gesteigerten Stoffwechselvorgänge. Wegen der hochgradigen Unruhe ist eine Sedierung mit Promethazin indiziert. Die eine Tachykardie begünstigenden Phenothiazin-Derivate sind zu vermeiden.

Bei besonders schweren Fällen mit Bewußtseinsstörungen und eventuell Koma sollte die künstliche Verminderung des extrathyreoidalen Schilddrüsenhormonpools angestrebt werden. Hierzu haben sich die *Plasmapherese bzw. Charcoal-Hämoperfusion* bewährt. Bei der Plasmapherese werden maximal 1.500 ml Blut entnommen, das Plasma abgesaugt und die Erythrozytensuspension zusammen mit einer dem entfernten Plasmavolumen äquivalenten Menge einer Plasmaproteinmenge reinfundiert. Dadurch wird vorwiegend der Serumgehalt an L-Thyroxin, das eine lange biologische Halbwertszeit hat, herabgesetzt, während das L-Trijodthyronin, das aufgrund anderer Affinitäten nur gering an die Plasmaproteine gebunden ist, weit weniger beeinflußt wird. Neuerdings wird der Charcoal-Hämoperfusion wegen der einfacheren Durchführung und der fehlenden Gefahr der Transfusions-Hepatitis der Vorzug gegeben.

Der Abbau der therapeutischen Maßnahmen richtet sich nach dem klinischen Effekt und nach den Hormonkonzentrationen im Plasma. Mit den genannten Maßnahmen läßt sich die Letalität auf etwa 20–30 % reduzieren.

Wenn euthyreote Werte wieder hergestellt sind, kann die kombinierte Jod-Thyreostatika-Therapie langsam über 1–2 Wochen reduziert werden. Es empfiehlt sich, die Medikation der Glukokortikosteroide und der antithyreoidalen Substanzen diejenige von Jod in jedem Fall überdauern zu lassen. Erst nach Beherrschung der thyreotoxischen Krise kann erwogen werden, ob eine medikamentöse, operative oder Strahlentherapie der Hyperthyreose angezeigt ist.

8 Autonomes Schilddrüsenadenom

Während es sich bei der Hyperthyreose vom Typ des Morbus Basedow um eine Überfunktion der ganzen Schilddrüse handelt, beruht die Hyperthyreose bei einem autonomen Adenom auf einer unkontrollierten Schilddrüsenhormonausschüttung aus einem meist solitären, umschriebenen Bezirk der Schilddrüse, der häufig als knotig vergrößerter Bezirk palpabel ist. Die Bezeichnung „autonom" drückt aus, daß die Schilddrüsenhormonfreisetzung aus diesem Schilddrüsenareal ohne Beziehung zum peripheren Schilddrüsenhormonbedarf erfolgt.

8.1 Ursachen des autonomen Adenoms

Während bei einer Basedow-Hyperthyreose die Schilddrüsenhormone durch extrahypophysäre Schilddrüsenstimulatoren TSH-unabhängig freigesetzt werden (Abb. 18), ist *die Freisetzung von Schilddrüsenhormon aus solitären oder multilokulären autonomen Adenomen sowohl unabhängig von der hypophysären TSH-Regulation als auch unabhängig von extrahypophysären Stimulatoren.* Der Sitz der Störung ist primär die Schilddrüse.

Meist entsteht das autonome Adenom bei älteren Patienten in einer Knotenstruma, die sich durch Proliferation einzelner hyperplastischer Follikelgruppen infolge Maladaptation an den alimentären Jodmangel entwickelt hat. Es handelt sich um kleine, im mikroskopischen Bereich liegende Areale innerhalb der Schilddrüse, die bevorzugt das jodärmere und stoffwechselaktivere Trijodthyronin zum Ausgleich des Jodmangels aufgrund einer Autoregulation der Schilddrüse bilden. Im Anfangsstadium ist eine echte Überproduktion an Schilddrüsenhormon durch den Jodmangel limitiert (s. 5.1).

Wird jedoch bei diesen Patienten der Jodmangel ausgeglichen, z.B. durch Gabe von jodhaltigen Röntgenkontrastmitteln oder jodhaltigen Medikamenten, auch durch Gabe von Schilddrüsenhormon, kommt es nach dem in Abbildung 22 dargestellten Schema zu einer hyperthyreoten Stoffwechsellage dadurch, daß die Schilddrüsenhormonsekretion aus dem autonomen Adenom stark ansteigt. Über den negativen Rückkopplungsmechanismus wird die endogene TSH-Sekretion supprimiert, wodurch das szintigraphische Bild des dekompensierten autonomen Adenoms entsteht, bei dem nur das Adenom selbst, nicht aber das ruhiggestellte perinoduläre Gewebe im Szintigramm zur Darstellung kommt (s. Abb. 9). *In Kropfendemiegebieten ist das autonome Adenom in bis zur Hälfte der Fälle Ursache einer hyperthyreoten Stoffwechsellage.*

Von einem kompensierten zu einem dekompensierten autonomen Adenom gibt es fließende Übergänge, so daß eine Euthyreose, latente Hyperthyreose oder manifeste Hyperthyreose mit einem entsprechenden Muster von Laborwerten vorliegen kann (s. 3.2.5).

8.2 Einteilung der autonomen Adenome

Die Einteilung der autonomen Adenome in kompensierte und dekompensierte Formen erfolgt aufgrund szintigraphischer Kriterien. Die Szintigraphie der Schilddrüse sollte ggf. einschließlich Wiederholungsuntersuchung mit hochempfindlicher Geräteeinstellung („Übersteuerung") zum Nachweis perinodulären, nicht der Autonomie unterliegenden Schilddrüsengewebes erfolgen. Der mit einem Risiko behaftete Stimulationstest mit TSH ist bei dieser Technik nur selten erforderlich.

Da die Diagnose von nicht mit einer Hyperthyreose einhergehendem autonomen Schilddrüsengewebe schwierig und die qualitative Szintigraphie der Schilddrüse mit oder ohne Suppression nicht absolut verläßlich ist, sollte eine *quantitative Szintigraphie* der Schilddrüse vor und nach Suppression für diese Fälle angestrebt werden, zumal das autonome Adenom nicht immer solitär, sondern häufig auch multilokulär auftritt.

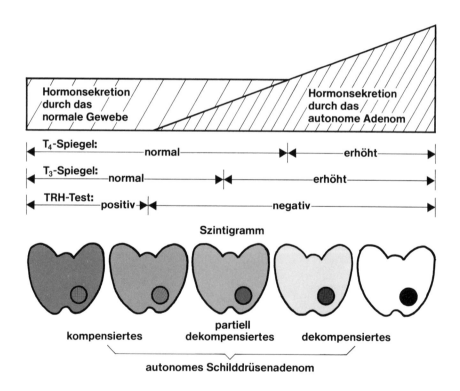

Abbildung 22

72

8.3 Klinik der autonomen Adenome

Das Krankheitsbild verläuft im allgemeinen milder als das der Basedow-Hyperthyreose. Oft ist das autonome Adenom nur ein Zufallsbefund ohne Beschwerden für den Patienten. Besonders häufig tritt das autonome Adenom bei Patientinnen während des Klimakteriums und bei älteren Patienten auf.

Die Symptome bei einem autonomen Adenom sind sehr unterschiedlich. Die Patienten klagen über Übererregbarkeit, Herzklopfen, Tremor. Im allgemeinen findet sich eine Tachykardie. *Das autonome Adenom ist häufig Ursache der Hyperthyreose des höheren Lebensalters.* Es geht nie mit einer endokrinen Orbitopathie einher.

8.4 Diagnose des autonomen Adenoms

Für die Diagnostik des autonomen Adenoms ist man ganz auf die Schilddrüsenszintigraphie (s. 8.2) angewiesen.

Beim *kompensierten autonomen Adenom* sind die peripheren Schilddrüsenhormonspiegel in der Regel normal. In Übereinstimmung mit dem szintigraphischen Bild ist die endogene TSH-Sekretion nicht supprimiert und durch TRH meistens noch normal stimulierbar. Der Nachweis der „Autonomie" des Adenoms erfolgt mit dem Suppressionstest, der zur Unterdrückung der TSH-Sekretion und damit zur Ruhigstellung des perinodulären Gewebes führt, ohne das autonome Adenom zu supprimieren (Abb. 22). Ein Suppressions-Szintigramm ohne ergänzende Speichermessung führt häufig zu Fehldiagnosen.

Die Diagnostik des *dekompensierten autonomen Adenoms* zeigt im Schilddrüsenszintigramm einen solitären „heißen" Speicherungsbezirk ohne Darstellung von perinodulärem Gewebe. Durch ein Wiederholungsszintigramm (ohne erneute Gabe eines radioaktiven Indikators) mit empfindlicherer Geräteeinstellung (übersteuertes Szintigramm) kann im allgemeinen das perinoduläre Gewebe nachgewiesen werden, da die Schilddrüse auch ohne thyreotrope Stimulation eine basale Hormonsekretion aufrechterhält. Mit dem TRH-Stimulationstest wird das funktionelle Verhalten der TSH-Sekretion im Reglerkreis Hypophyse-Schilddrüse überprüft. Das Ergebnis des szintigraphischen Befundes und des TRH-Testes gestatten die Diagnose eines dekompensierten autonomen Adenoms. Fällt der TRH-Test positiv aus, ist differentialdiagnostisch an eine einseitige Lappenaplasie bei euthyreoter Stoffwechsellage zu denken. Häufig handelt es sich bei autonomen Adenomen um eine isolierte Mehrproduktion von Trijodthyronin, so daß bei der Basisdiagnostik immer beide Schilddrüsenhormone (T_3 und T_4) bestimmt werden sollten.

Die Diagnostik des autonomen Adenoms in der Übergangsform vom kompensierten zum dekompensierten Typ ist besonders dann problematisch, wenn der TRH-Test schon negativ ausfällt (Abb. 22), klinisch und laborchemisch aber noch eine euthyreote Stoffwechsellage besteht. In diesen Fällen besteht ein potentielles Risiko für den Patienten, vor allem bei Applikation jodhaltiger Medikamente. Falls die klinische Situation eine abwartende Haltung erlaubt, sollte eine engmaschige Verlaufskontrolle erfolgen.

8.5 Therapie des autonomen Adenoms

Die Behandlung des autonomen Schilddrüsenadenoms ist kausal. Die Heilung der durch das autonome Adenom verursachten Hyperthyreose kann durch operative Enukleation oder Radiojodresektion angestrebt werden. Die vorübergehende Gabe von Thyreostatika ist beim autonomen Adenom nur dann von Vorteil, wenn eine floride Hyperthyreose besteht. Diese Behandlungsform sollte nur präoperativ oder als Intervallbehandlung (s. 7.5.1) erfolgen. Für eine Dauertherapie scheidet die alleinige antithyreoidale Behandlung beim autonomen Adenom aus, da es im Gegensatz zur Basedow-Hyperthyreose kaum eine Tendenz zu Spontanremissionen zeigt.

8.5.1 Operation des autonomen Adenoms

Die operative Enukleation des autonomen Adenoms sollte einer [131]J-Strahlenbehandlung vorgezogen werden, wobei eine *funktionsgerechte Resektion* anhand des szintigraphischen Befundes erforderlich ist. Die operative Entfernung sollte in jedem Fall im generationsfähigen Alter, bei gleichzeitig bestehenden szintigraphisch „kalten" Knoten und bei großen Strumen erfolgen.

Die Operationsvorbereitung erfolgt nach dem oben beschriebenen Schema (Abb. 21). Beim autonomen Adenom genügt oft die alleinige Operationsvorbereitung mit β-Rezeptorenblockern.

Eine medikamentöse Nachbehandlung mit Schilddrüsenhormon kann wie nach subtotaler Strumektomie einer blanden Struma (s. 5.5.2) erforderlich sein, kann auf der anderen Seite auch wegen multizentrisch vorhandenen potentiell autonomen Gewebes in der Restschilddrüse gefährlich sein, da sich eine erneute autonome Dekompensation entwickeln kann. In jedem Fall ist eine *regelmäßige Nachuntersuchung* erforderlich, weil gelegentlich auch der verbliebene Schilddrüsenrest eine normale Schilddrüsenfunktion nicht aufrechterhalten kann und dann entweder zur Strumabildung oder zur Unterfunktion neigt, die eine entsprechende Behandlung mit Schilddrüsenhormon dann doch erfordern.

8.5.2 Radiojodresektion des autonomen Adenoms

Die Behandlung mit ^{131}J wird bevorzugt bei Patienten jenseits des generationsfähigen Alters, vor allem bei Operationskontraindikationen angewandt. Vor allem kleine, weiche Adenome eignen sich für diese Therapieform. Um das autonome Adenom vollständig „auszuschalten", sind hohe *Strahlendosen von 30.000–40.000 rad* erforderlich. Die Dosis muß also um ein Vielfaches höher als bei der Radiojodbehandlung einer Basedow-Hyperthyreose (s. 7.5.3) sein.

Zum Schutz des normalen Gewebes werden 100 µg L-Trijodthyronin pro Tag vom Vortag bis zum 10. Tag nach der Radiojoddosis oder 200 µg L-Thyroxin pro Tag zwei Wochen vor bis 10 Tage nach der ^{131}J-Gabe gegeben. Hierdurch wird eine Aufnahme der therapeutischen ^{131}J-Dosis in dem perinodulären Gewebe, das, wie oben ausgeführt, nie vollständig supprimiert ist, verhindert. Sind bei kardiovaskulären Erkrankungen L-Trijodthyronin und auch L-Thyroxin kontraindiziert, so kann die Radiojodwirkung auf das gesunde perinoduläre Schilddrüsengewebe durch Gabe von täglich 200 mg Natriumperchlorat gemildert werden, das 48 Stunden nach der therapeutischen Radiojodgabe eingesetzt wird.

Die durchschnittliche Dauer bis zur szintigraphisch nachweisbaren Ausschaltung der autonomen Adenome beträgt 4–6 Monate. Dieser verzögerte Wirkungseintritt stellt einen Nachteil gegenüber der operativen Enukleation des Adenoms dar. Die Radiojodtherapie hinterläßt einen inaktiven stummen Knoten in einer gesunden Schilddrüse (s. Farbtafel V.2). Ein Rezidiv wird kaum beobachtet. Hypothyreosen sind selten.

Kontrolluntersuchungen sollten anfangs in einjährigen, später in mehrjährigen Abständen erfolgen, da das autonome Gewebe, wenn auch selten, regenerieren kann. Da die Radiojodtherapie bezüglich der Heilungschancen gegenüber einer Operation als gleichwertig betrachtet werden kann, stellt sie eine echte Alternative zur Operation dar. Die Radiojodtherapie schließt eine spätere Schilddrüsenoperation grundsätzlich nicht aus.

Wie nach einer operativen Enukleation des autonomen Adenoms ist eine Nachbehandlung mit Schilddrüsenhormon im allgemeinen nicht erforderlich (s. 8.5.1). Spät-Hypothyreosen sind nach Radiojodbehandlung autonomer Adenome selten.

8.5.3 Prophylaxe des autonomen Adenoms

Da das autonome Adenom der Schilddrüse gehäuft in endemischen Kropfgebieten vorkommt und eine Maladaptation an den Jodmangel als Ausdruck einer TSH-unabhängigen Autoregulation darstellen dürfte (s. 8.1), wäre ähnlich wie hinsichtlich der Häufigkeit der blanden Struma durch eine konsequente Einführung einer Jodsalzprophylaxe (s. 5.5.4) auch die Häufigkeit des autonomen Adenoms deutlich zu verringern. Die Angst vor dem Jod-Basedow ist hierbei unberechtigt. Nach Erfahrungen in anderen Ländern, in denen die Jodsalzprophylaxe eingeführt wurde, besteht lediglich ein passageres Hyperthyreose-Risiko von etwa 0,5 %, welches streng genommen nur für die seltenen Fälle von kompensierten, autonom arbeitenden Schilddrüsen ursächlich mit einer Jodsalzprophylaxe in Verbindung zu bringen ist. Bei der Einführung der Jodsalzprophylaxe würden nur vorübergehend die latenten, d. h. noch nicht dekompensierten autonomen Adenome in manifeste Hyperthyreosen übergehen, was andererseits aber heißt, daß diese Erkrankung dann auch früher behandelt werden kann.

Hierbei ist jedoch besonders wichtig, daß langfristig die Jodsalzprophylaxe zu einem weitgehenden Verschwinden der Autonomie der Schilddrüsen führen würde. Denn *die blande Struma ist* nach den oben aufgezeigten pathogenetischen Kenntnissen *eine Art „Vorkrankheit" für das autonome Adenom.* Die autonomen Adenome, die durch Jodsalzprophylaxe hyperthyreot werden können, sind somit Folgekrankheiten der blanden Struma und würden letztlich weitgehend verschwinden, wenn es gelingen sollte, eine geeignete Prophylaxe einzuführen und damit die Häufigkeit der blanden Struma zu senken.

In anderen Ländern konnte gezeigt werden, daß die Jodsalzprophylaxe zu einem Verschwinden der autonomen Schilddrüsenadenome führte. Die von der „Sektion Schilddrüse" der Deutschen Gesellschaft für Endokrinologie wiederholt empfohlene, generelle gesetzliche Jodsalzprophylaxe in der Bundesrepublik mit Speisesalzen, die einen Jodgehalt von 10 mg pro kg haben, würde dazu führen, daß das von der Weltgesundheits-Organisation (WHO) empfohlene Optimum der alimentären Jodaufnahme von täglich 150–200 µg erreicht wird.

9 Endokrine Orbitopathie

Bei der endokrinen Orbitopathie handelt es sich mit großer Wahrscheinlichkeit um eine eigenständige Autoimmunerkrankung, die sehr häufig mit der Basedow-Hyperthyreose zusammen auftritt, ohne daß jedoch eine direkte Beziehung zwischen Schilddrüsenfunktionsstörung und Entwicklung der Orbitopathie besteht. Aus diesem Grunde wird die endokrine Orbitopathie hier gesondert aufgeführt.

9.1 Ursachen der endokrinen Orbitopathie

Unwahrscheinlich erscheint heute die Theorie, daß eine Fehlinkretion eines Exophthalmus-produzierenden Faktors (EPF) des Hypophysenvorderlappens für die Entstehung der Orbitopathie verantwortlich ist. Ähnlich wie die Basedow-Hyperthyreose ist die endokrine Orbitopathie eine genetisch determinierte und wahrscheinlich durch autoimmunologische Vorgänge ausgelöste Krankheit, in deren Verlauf spontane Remissionen und Rezidive auftreten können (s. auch 7.1).

9.2 Einteilung der endokrinen Orbitopathie

Nach der von der „Sektion Schilddrüse" der Deutschen Gesellschaft für Endokrinologie aufgestellten Klassifikation der Schilddrüsenerkrankungen wird eine Einteilung in folgende *Schweregrade* vorgenommen:

 I Oberlidretraktion (Dalrymplesches Phänomen), Konvergenzschwäche
 II mit Bindegewebsbeteiligung (Lidschwellungen, Chemosis, Tränenträufeln, (Photophobie)
 III mit Protrusio bulbi oder bulborum (pathologische Hertelwerte mit und ohne Lidschwellungen)
 IV mit Augenmuskelparesen (Unscharf- oder Doppeltsehen)
 V mit Hornhautaffektionen (meist Lagophthalmus mit Trübungen, Ulzerationen)
 VI mit Sehausfällen bis Sehverlust (Beteiligung des Nervus opticus)

Die Einteilung unterscheidet nach den Schweregraden I–VI absichtlich ohne Berücksichtigung von Ein- oder Doppelseitigkeit der Orbitopathie, wobei die Symptome jeweils geringerer Schweregrade in der gewählten Gruppe mit enthalten sein oder fehlen können.

9.3 Klinik der endokrinen Orbitopathie und des prätibialen Myxödems

Die *Kardinalsymptome der endokrinen Orbitopathie* sind die Folgeerscheinungen der Veränderungen im Retrobulbärraum: Exophthalmus, Lidödeme und Augenmuskellähmungen (s. Farbtafel VI.1). Einzeln betrachtet haben die Symptome keine pathognomonische Bedeutung. Charakteristisch ist aber die Kombination. Zu Beginn der Erkrankung können Photophobie, Fremdkörpergefühl, Augenreiben, morgendliches Lidödem, Tränenträufeln auftreten. Später kommen die Retraktion des Oberlids und die Konvergenz-schwäche hinzu.

Veränderungen wie im Orbitabereich kommen auch in der Haut als *prä-tibiales Myxödem* vor. Prädilektionsstelle ist der anterolaterale Bereich der Unterschenkel (s. Farbtafel VI.2). Die Haut ist rauh, gelegentlich hyper-keratotisch, großporig und die Haare wirken borstig grob. Die Bezirke des prätibialen Myxödems sind erhaben, scharf abgegrenzt, rötlich livide ge-färbt, fühlen sich sulzig an und hinterlassen auf Druck keine Dellen. Ent-zündungszeichen fehlen.

Sowohl die endokrinen Augensymptome als auch das prätibiale Myxödem werden durch eine Einlagerung von Mukopolysacchariden verursacht.

9.4 Diagnose der endokrinen Orbitopathie

Nach ihrem funktionellen Verhalten werden folgende *Formen der endo-krinen Orbitopathie* unterschieden:

- Hyperthyreote endokrine Orbitopathie
  - Basedow-Hyperthyreose mit endokriner Orbitopathie
  - isolierte T_3-Hyperthyreose (Frühstadium einer Basedow-Hyper-thyreose) mit endokriner Orbitopathie
- Primär euthyreote endokrine Orbitopathie
  - Euthyreose mit negativem TRH-Test
  - Euthyreose mit positivem TRH-Test
- Sekundär euthyreote endokrine Orbitopathie
- Sekundär hypothyreote endokrine Orbitopathie

Die *klinische Beurteilung und Diagnostik* der endokrinen Orbitopathie ist deshalb so *schwierig,* weil sich zwischen der aktuellen Schilddrüsen-funktion und dem Schweregrad einer endokrinen Orbitopathie kein direkter Zusammenhang findet. Die Diagnostik ist daher bestimmt einmal durch die Abklärung der Schilddrüsenfunktion, zum anderen durch eine ophthal-mologische, ggf. neurologische und auch neuro-radiologische Unter-suchung wobei sich für die Darstellung des Ausmaßes der Orbitopathie die Computer-tomographische Röntgenuntersuchung zunehmend bewährt.

9.5 Therapie der endokrinen Orbitopathie

Entscheidend für das therapeutische Vorgehen ist neben der Schilddrüsen-funktion der Schweregrad der Augenveränderungen. Die Prognose ist wiederum vor allem von der Dauer der Erkrankung abhängig. Je länger die Protrusio bulbi bzw. bulborum besteht, um so stärker wird das orbitale Fettgewebe von Bindegewebe infiltriert. Die anhaltende ödematöse Schwellung kann zu irreversiblen Schädigungen der Sehnerven führen.

Bei der Behandlung der endokrinen Orbitopathie steht zunächst das Bemühen im Vordergrund, eine euthyreote Stoffwechsellage herzustellen. Die Hyperthyreose kann sowohl medikamentös, operativ oder mit ^{131}J behandelt werden (s. 7.5.1 bis 7.5.3). Daß eine besondere Gefahr der Verschlechterung der Augensymptome bei zu rascher Normalisierung der Schilddrüsenfunktion, z. B. durch Strumaresektion besteht, ist nicht bewiesen.

Bei hypothyreoter Stoffwechsellage müssen Schilddrüsenhormone verabreicht werden, um den Stoffwechsel zu normalisieren (s. 6.5).

Der nicht vorausschaubare klinische Verlauf einer endokrinen Orbitopathie erschwert die Aussage über die Wirksamkeit einer Therapie. Auch bei Ausschöpfung aller therapeutischen Maßnahmen kommt es nur selten zu einer völligen Normalisierung des klinischen Befundes. Die Behandlungsmaßnahmen richten sich nach dem Stadium der Erkrankung.

9.5.1 Therapie der Stadien I und II

Bei starkem Fremdkörpergefühl können Methylzellulose-haltige Augentropfen (künstliche Tränen), bei stark ausgeprägter Lichtempfindlichkeit getönte Augengläser verschrieben werden. Das Stadium II stellt bei starken subjektiven Symptomen eine relative Indikation für eine *Glukokortikoid-Therapie* in einer mittleren Dosierung, z. B. 20–40 mg Prednisolon jeden 2. Tag mit schrittweisem Abbau der Dosis innerhalb von 4–6 Wochen dar. Die Glukokortikoide haben sicher keinen immunsuppressiven, sondern mehr einen entquellenden Effekt auf das Ödem der Augenanhangsgebilde. Über den Einfluß von immunsuppressiven Medikamenten liegen sehr widersprüchliche Befunde vor, so daß ihre routinemäßige Anwendung noch nicht gerechtfertigt erscheint. Eine *Hochvoltbestrahlung des Retrobulbärraumes* von einer bzw. beiden Schläfen her auf die Gegend der Orbitaspitze übt wahrscheinlich einen hemmenden Effekt der an den Augenanhangsgebilden ablaufenden immunologischen Vorgänge aus, so daß diese Behandlungsform frühzeitig, auch schon bei Stadium II zur Anwendung kommen sollte. Die Behandlung wird in zweitägigen Abständen unter sorgfältiger Schonung des vorderen Augenabschnittes appliziert.

9.5.2 Therapie der Stadien III und IV

Bei fortgeschrittener, noch florider Orbitopathie sollte eine Behandlung mit Glukokortikoiden und/oder eine Bestrahlung des Retrobulbärraumes durchgeführt werden. Die besten Erfolge ergeben sich, wenn sofort nach dem Auftreten der ersten Symptome die Behandlung eingeleitet wird. Die Verordnung von Glukokortikoiden sollte mit einer Anfangsdosis von etwa 60 mg Prednisolon begonnen werden und langsam durch wöchentliche Reduktion um 5 mg abgebaut werden. Sie führt zu einer wesentlichen Besserung der entzündlichen Erscheinungen mit einem Rückgang der Protrusio bulborum, einem verbesserten Abfluß aus Lymphwegen und

Venen und teilweise auch zu einer Verbesserung der Augenmuskelfunktion und damit zuweilen sogar zu einer Verbesserung des Visus. Solche Prednisolon-Stöße können bis zu 3–4mal im Jahr verabreicht werden. Steroidderivate sind jedoch meist wirkungslos, wenn die Augensymptome länger als 2–3 Jahre bestehen.

Die *Retrobulbärbestrahlung* sollte frühzeitig durchgeführt werden.

Selbstverständlich sollten auch *lokale Maßnahmen* durchgeführt werden, wie nächtliches Hochlagern des Kopfes wegen der Lidödeme und Kopfschmerzen, Tragen einer Lichtschutzbrille, Anwendung künstlicher Tränen zur Vermeidung starker Austrocknung bei unzureichendem Lidschluß.

Gehen die durch die Muskelstörung bedingten Doppelbilder auch nach intensiver Therapie nach längerer Zeit, d. h. nach 1–2 Jahren, nicht zurück, ist eine ophthalmologisch-chirurgische Therapie zu diskutieren.

9.5.3 Therapie der Stadien V und VI

Diese Stadien sind relativ selten. Zur Schaffung einer feuchten Kammer kann zunächst ein *Uhrglasverband* angelegt werden. Kommt es durch gleichzeitige medikamentöse Therapie in Form eines *hochdosierten Glukokortikoid-Stoßes* und durch eine *Retrobulbärbestrahlung* nicht zu einem Rückgang der Symptome, kann eine laterale *Tarsoraphie* zur Verkleinerung der Lidspalte durchgeführt werden. Bei ungenügendem Erfolg sollte eine Dekompressionsoperation in Erwägung gezogen werden. Ein operativer Eingriff ist jedoch nur indiziert, wenn alle Möglichkeiten der konservativen und strahlentherapeutischen Behandlung ausgeschöpft sind.

Insgesamt sind alle therapeutischen Maßnahmen bei der endokrinen Orbitopathie symptomatisch. Eine völlige Normalisierung des Augenbefundes in einem absehbaren Zeitraum ist eher die Ausnahme als die Regel. Oft bleibt lange Zeit ein Restbefund. Eine langfristige Nachbetreuung der Patienten ist daher dringend erforderlich.

Die *Erfolgsquote* der genannten Maßnahmen läßt sich wie folgt zusammenfassen:
Bei Beseitigung der Hyperthyreose bessern sich 30–50 % der endokrinen Orbitopathien. 20–30 % werden durch die genannten zusätzlichen Maßnahmen zumindest gebessert. In 15–20 % wird eine Progredienz verhindert. 5–10 % zeigen eine außerordentliche Therapieresistenz. Insgesamt ist der Therapieerfolg bei den Patienten mit endokriner Orbitopathie um so günstiger, je früher mit der Behandlung begonnen wird. Die Behandlung des endokrinen Exophthalmus fordert nicht nur vom Patienten, sondern auch vom Arzt viel Geduld und Ausdauer.

9.5.4 Therapie des prätibialen Myxödems

Eine kausale Therapie ist für das lokale Myxödem ebenso wenig bekannt wie für die endokrine Orbitopathie. Auch hier muß man sich auf symptomatische Maßnahmen beschränken. Es haben sich Kortikoid-Salben bewährt, die über Nacht in einem Okklusivverband über mehrere Monate lang angewendet werden. In hartnäckigen Fällen kann man es darüber hinaus mit lokalen Infiltrationen von Glukokortikoiden versuchen. Die Behandlung hat selten einen nachhaltigen Erfolg.

10 Thyreoiditis

Die Schilddrüsenentzündungen lassen sich in akute, subakute und chronische Formen unterteilen, die diffus, d. h. die gesamte Schilddrüse erfassend, oder fokal, d. h. auf einen Lappen oder einen umschriebenen Bezirk beschränkt, auftreten können. Eine Thyreoiditis kommt häufiger vor, als man bisher angenommen hat.

10.1 Ursachen der Thyreoiditis

Die *akute pyogene Thyreoiditis* ist eine extreme Seltenheit. Sie tritt gewöhnlich lymphogen fortgeleitet im Rahmen eines auf die Halsorgane beschränkten Infektes oder infolge hämatogener Streuung bei septischen Prozessen auf. Als Erreger werden Strepto-, Staphylo-, Pneumokokken und Coli-Bakterien gefunden. Selten ist die gesamte Schilddrüse befallen.

Die Ätiologie der *subakuten Thyreoiditis* ist noch nicht geklärt, obwohl vieles dafür spricht, daß es sich um eine Virusinfektion handelt. Ätiologisch werden Mumps, Masern, Mononukleose, Adeno-, Echo- und Coxsackie-Viren erwogen.

Die *chronisch-lymphozytäre Thyreoiditis Hashimoto* stellt das klassische Beispiel einer Autoimmunerkrankung dar. Bei der Antigen-Antikörper-Reaktion werden Lysosomen frei, die die Thyreozyten zerstören und so die entzündliche Reaktion in Gang bringen. Das Zusammenwirken von zellulären und humoralen Immunfaktoren unterhält den entzündlichen Prozeß und führt schließlich zur Zerstörung und zum narbigen Umbau der Schilddrüse.

10.2 Einteilung der Thyreoiditis

Aufgrund der Klassifikation der Schilddrüsenerkrankungen der „Sektion Schilddrüse" der Deutschen Gesellschaft für Endokrinologie ergibt sich folgende Klassifikation der Schilddrüsenentzündungen:

A. Akute Thyreoiditis (diffus oder fokal)
a) eitrig
b) nicht eitrig (bakteriell, viral, strahlenbedingt, traumatisch)

B. Subakute Thyreoiditis (diffus oder fokal)
a) infektiös
b) parainfektiös

C. Chronische Thyreoiditis
a) lymphozytär (Hashimoto-Thyreoiditis)
   1. Formen: fibrös
              atropisch
              fokal
   2. mit Orbitopathie
b) fibrös-invasiv (Riedel-Struma)
c) spezifisch (Tuberkulose, Lues)

10.3 Klinik der Thyreoiditis

Während die *akute Thyreoiditis* mit starken Schmerzen und Schwellungen eines Teils oder der ganzen Schilddrüse auftritt, Druckempfindlichkeit, Schluckbeschwerden, Heiserkeit und Fieber verursacht, sowie zu einer Schwellung der Halslymphknoten führt, beginnt die *subakute Thyreoiditis* uncharakteristisch mit Abgeschlagenheit, Mißempfindungen, Schmerzen im Halsbereich und Hyperthyreosesymptomatik. Es tritt häufig nach einigen Tagen bis Wochen eine diffuse, ein- oder mehrknotige Schwellung der Schilddrüse auf. Fast immer besteht ein mäßiges, selten hohes Fieber. Das Ausmaß der Entzündung steht oft in keinem Verhältnis zur Schwere der Allgemeinsymptome und der körperlichen Schwäche.

Die *chronische Thyreoiditis* verläuft im Anfang fast immer unbemerkt. Es bestehen Druck- und Spannungsgefühl oder die Zeichen einer subakuten Thyreoiditis. Eine in der Regel langsam entstandene Struma wird oft nur zufällig entdeckt. Die Konsistenz der Schilddrüse ist fest, sie ist aber verschieblich. Regionale Lymphknoten können vergrößert sein. Oft wird die Diagnose erst gestellt, wenn sich eine Hypothyreose entwickelt hat.

Eine *Riedel-Struma* mit brettharter, flacher Infiltration der Schilddrüse mit Verwachsung der Umgebung und erheblichen Lokalbeschwerden tritt selten auf.

10.4 Diagnose der Thyreoiditis

Bei der *akuten Thyreoiditis* weist der betroffene Schilddrüsenbezirk die klassischen Entzündungszeichen auf. Es besteht eine Tendenz zur Einschmelzung mit zunehmender Hautrötung und Fluktuation. Im Szintigramm findet sich eventuell ein „kalter" Bezirk.

Bei der *subakuten Thyreoiditis* beeindruckt in der akuten Phase eine extrem beschleunigte Blutkörperchensenkungsgeschwindigkeit bei meist normaler Leukozytenzahl. Die Bestimmung der Schilddrüsenhormone Thyroxin und Trijodthyronin im Serum kann je nach Stadium der Erkrankung eine euthyreote, hyperthyreote oder auch hypothyreote Stoffwechsellage ergeben.

Das Szintigramm der Schilddrüse zeigt eine stark herabgesetzte Radionuklidspeicherung. Die Feinnadelpunktion zeigt ein typisches zytologisches Bild mit Riesenzellen. Schilddrüsenantikörper finden sich nur in geringer Titerhöhe.

Für den Nachweis einer *chronischen Thyreoiditis* steht neben der Untersuchung der Stoffwechsellage der Schilddrüse die Untersuchung der humoralen Schilddrüsenantikörper im Vordergrund. Hohe Titer der Thyreoglobulin- und der mikrosomalen Antikörper sind als diagnostisch für eine Autoimmun-Thyreoiditis anzusehen, sowohl für die Struma lymphomatosa Hashimoto als auch für die atrophische Verlaufsform. Hohe Titer von Antikörpern gegen Thyreoglobulin und niedrige Titer gegen das Mikrosomen-

Antigen werden als typisch für die fibröse Verlaufsform der Struma lymphomatosa Hashimoto angesehen, während bei der häufigeren hyperzellulären Variante die mikrosomalen Antikörper überwiegen. Niedrige Antikörpertiter schließen jedoch eine Autoimmun-Thyreoiditis nicht aus. Aus diesem Grund sollte eine Szintigraphie angefertigt und im Bereich der ungleichmäßigen, fleckig aufgelockerten Speicherung eine Feinnadelpunktion vorgenommen werden, wobei sich im allgemeinen ein dichter Verband von gut ausdifferenzierten Lymphozyten mit eingestreuten Plasmazellen findet (s. Farbtafel III.2). Die Feinnadelpunktion kann auch zur Differentialdiagnose gegenüber dem Schilddrüsenmalignom von Bedeutung sein. Papilläre Karzinome sind häufig von fokalen oder diffusen lymphozytären Infiltraten innerhalb und außerhalb des Tumors begleitet. Eine Thyreoiditis in einem Schilddrüsenlappen schließt ein Karzinom im anderen nicht aus.

10.5 Therapie der Thyreoiditis

Wegen des unterschiedlichen therapeutischen Vorgehens (Tabelle 1) ist in jedem Fall vor Einleitung einer Behandlung eine genaue Klassifikation der Thyreoiditis erforderlich.

Thyreoiditis	Antiphlogistica	Antibiotica	Kortikosteroide	L-Thyroxin
– akut pyogen	+	+	–	(+)
– subakut (de Quervain)	+	(+)	+	(+)
– chronischlymphozytär (Hashimoto)	–	–	–	+

Tabelle 1

10.5.1 Therapie der akuten Thyreoiditis

Sie spricht als bakterielle Entzündung rasch auf *Antibiotika* an. Bei Fluktuation infolge Einschmelzung ist die operative Drainage indiziert. Diese darf nicht verzögert werden, da ein Durchbruch nach innen in Trachea, Ösophagus oder Mediastinum unbedingt vermieden werden muß.

Bei konsequenter Bettruhe, kühlenden Umschlägen, Antiphlogistika und Antibiotika klingt die akute Thyreoiditis im allgemeinen in 2–3 Wochen ab. Die antiphlogistische Therapie sollte noch einige Wochen über den Zeitpunkt der Normalisierung der Blutkörperchensenkungsgeschwindigkeit und der Beschwerdefreiheit hinaus fortgesetzt werden. Falls sich hypothyreote Stoffwechselwerte bei der Nachkontrolle finden, müssen eventuell vorübergehend Schilddrüsenhormone gegeben werden.

10.5.2 Therapie der subakuten Thyreoiditis

Die Behandlung besteht, abweichend vom Vorgehen bei der akuten Thyreoiditis, in einer im febrilen Stadium sofort einsetzenden Medikation von *Antiphlogistika und Glukokortikoid-Präparaten* in abfallender Dosierung über 6–12 Wochen, beginnend mit einer Dosis von 40–60 mg Glukokortikoiden pro die. Lokal kann eine Eiskrawatte angelegt werden.

Die subjektiven Beschwerden schwinden nach Glukokortikoiden fast unmittelbar. Die Therapie mit Glukokortikoiden sollte langsam abgebaut werden, da sich bei frühzeitigem Absetzen häufig Rezidive entwickeln können. Eine Substitution mit Schilddrüsenhormon sollte nach der akuten Phase nach Abfall der Schilddrüsenhormone und eventuell nachweisbarem Anstieg des Serum-TSH als Zeichen einer beginnenden Hypothyreose eingeleitet werden, um die überschießende TSH-Sekretion zu supprimieren.

10.5.3 Therapie der Hashimoto-Thyreoiditis

Die Therapie der häufigsten aller Schilddrüsenentzündungen, der lymphomatösen Autoimmun-Thyreoiditis, ist rein palliativ und einfach. Denn spontane Remissionen sind ungewöhnlich. Im allgemeinen findet sich ein Übergang in eine subklinische oder manifeste Hypothyreose.

Im Vordergrund der *Behandlung* steht deshalb die Substitution *mit Schilddrüsenhormon* (s. 6.5.2 sowie Farbtafel IV.2 und 3). Auf die immunologischen Phänomene haben die Schilddrüsenhormone sicher keinen Einfluß. Durch den suppressiven Effekt auf die TSH-Stimulation wird aber im allgemeinen ein Rückgang der Struma beobachtet. Eine zusätzliche Behandlung mit Glukokortikoiden kann den Autoimmunprozeß nicht aufhalten. Bei gesicherter Diagnose einer Hashimoto-Thyreoiditis muß der Patient wie bei einer Hypothyreose lebenslang mit Schilddrüsenhormon behandelt werden. Ein Absetzen der Therapie, etwa nach Rückgang der Struma, ist absolut kontraindiziert.

Eine operative Resektion der Hashimoto-Struma ist nur dann angezeigt, wenn primär mechanische Probleme durch die Struma auftreten sowie bei Verdacht auf eine maligne Entartung oder wenn sich bei einer großen Struma die Schilddrüsenhormontherapie allein als ineffektiv erweist.

10.5.4 Therapie der Riedel-Thyreoiditis

Bei der Behandlung haben Schilddrüsenhormone und Glukokortikoide keinen Effekt. Bei lokalen Kompressionserscheinungen kommt die subtotale Strumaresektion oder eine palliative Entlastungsoperation durch eine *Spaltung des Schilddrüsenisthmus* in Frage.

Die *Verlaufsuntersuchungen bei allen Formen der Thyreoiditis* zielen darauf ab, eine euthyreote Stoffwechsellage nachzuweisen bzw. bei hypothyreoten Stoffwechselparametern das Hormondefizit durch Gabe von synthetischem Schilddrüsenhormon in Form von L-Thyroxin auszugleichen (s. 6.5.2).

11 Struma maligna

Unter der Sammelbezeichnung „Struma maligna" werden alle bösartigen Neubildungen der Schilddrüse zusammengefaßt: Karzinome, Sarkome und Metastasen extrathyreoidaler Tumoren. Schilddrüsenmalignome sind selten. Ihr Anteil wird auf 0,5–1 % aller Krebserkrankungen geschätzt. Während jährlich in einer Bevölkerung von 1 Million ca. 25 Schilddrüsenmalignome neu entdeckt werden (0,0025 %), beträgt die jährliche Sterberate nur 5 pro Million (0,0005 %) gegenüber 3.500 pro Million für alle Krebsarten zusammen.

11.1 Ursachen der Schilddrüsenmalignome

Die Ätiologie des Schilddrüsenkrebses ist nicht bekannt. Gesichert ist lediglich der karzinogene Einfluß von Röntgenstrahlen auf die kindliche Schilddrüse. Ferner wird diskutiert, ob die verlängerte und verstärkte TSH-Stimulation in Kropfendemiegebieten zu einem gesteigerten Vorkommen von Schilddrüsenneoplasmen führen kann. Durch die Strumaprophylaxe mit jodiertem Speisesalz kam es in der Schweiz zu einer erheblichen Abnahme der follikulären und anaplastischen Karzinome, während die papillären Formen zugenommen haben. Allein diese Verschiebung zu den prognostisch günstigeren Verlaufsformen ohne Rückgang der absoluten Zahl zeigen einen Zusammenhang zwischen Jodmangel und Entstehung des Schilddrüsenmalignoms auf. Dies ist zudem ein weiteres Argument, die Jodsalzprophylaxe auch in der Bundesrepublik Deutschland einzuführen (s. 5.5.4 und 8.5.3).

11.2 Einteilung der Struma maligna

Die Klassifizierung der bösartigen Schilddrüsentumoren erfolgt in folgende fünf Hauptgruppen:

I Differenzierte Karzinome
- papillär
- follikulär

II Entdifferenzierte Karzinome
- anaplastisch
  (solid, klein-riesenzellig, polymorph)

III C-Zell-Karzinome
(„medullär"-parafollikuläre Zellen)

IV Sarkome
(Lymphosarkome, Hämangioendotheliome)

V Metastatische Fremdtumoren

Die differenzierten Karzinome, d h. *die papillären und follikulären Tumoren,* besitzen hinsichtlich ihres histologischen Aufbaues und der Funktion große

Ähnlichkeit mit normalem Schilddrüsenparenchym. Häufig gibt es Mischformen aus follikulären und papillären Tumoren. Follikuläre Karzinome besitzen eine bevorzugte hämatogene Metastasierungstendenz (Lunge, Knochen etc.), papilläre Karzinome dagegen weisen eine frühzeitige lymphogene Ausbreitung auf (intrathyreoidal, regionale Halslymphknoten). Diese organoiden Tumoren haben in der Regel eine langsamere Progredienz und sind im besonderen Maß einer Radiojodbestrahlung sowie der suppressiv wirksamen Schilddrüsenhormontherapie zugänglich.

Bei den *anaplastischen Karzinomen* handelt es sich um stark entdifferenzierte Tumoren ohne erkennbare Organstrukturen mit meist hoher Aggressivität und schnellem Fortschreiten (s. Farbtafel VII.2). Das höhere Lebensalter ist im Gegensatz zu den organoiden differenzierten Karzinomen bevorzugt betroffen.

Die *C-Zell-Karzinome*, auch medulläre Karzinome genannt, nehmen ihren Ausgang nicht von den Thyreozyten, sondern von den Kalzitonin-produzierenden parafollikulären Zellen. Sie können mit und ohne hormonelle Aktivität einhergehen, d. h. mit oder ohne erhöhtem Serum-Kalzitoninspiegel. Ihre Ausbreitung erfolgt zunächst in regionale zervikale und mediastinale Lymphknoten, danach auch hämatogen in die Körperperipherie.

Sarkome und metastatische Fremdtumoren sind selten. Ihre Progredienz ist im allgemeinen rasch.

Neben der histologischen Klassifizierung erfolgt die *Einteilung nach dem TNM-System* (T = lokal infiltrierend, N = regionale Lymphknoten, M = Fernmetastasen). Diese Zuordnung gründet sich jeweils auf die prätherapeutische klinische Erhebung, die durch den intraoperativen und histologischen Befund ergänzt bzw. korrigiert wird.

11.3 Klinik der Struma maligna

Schilddrüsenknoten entstehen im allgemeinen allmählich und asymptomatisch. Sie werden oft nur zufällig vom Patienten oder untersuchenden Arzt anläßlich einer eingehenden internistischen Untersuchung entdeckt. Bei der Differentialdiagnose sind folgende Fragen wichtig:

Ging die Entwicklung des solitären Schilddrüsenknotens mit Symptomen einer Schilddrüsendysfunktion einher? Bestehen Schmerzen oder Mißempfindungen im Halsbereich? Besteht eine Heiserkeit oder Schwierigkeit zu schlucken? Hat der Patient früher eine Strahlenbehandlung im Halsbereich bekommen? Hat der Knoten in letzter Zeit deutlich an Größe zugenommen?

Folgende Patientenangaben sind malignomverdächtig:
Eine frühkindliche Röntgenbestrahlung im Halsbereich, aber auch andere ionisierende Strahlen können mit einer Latenz von ca. 20 Jahren zu einer

malignen Entartung der Schilddrüse, meist zu differenzierten und hier vor allem follikulären Schilddrüsenkarzinomen führen.

Malignomverdächtig ist ferner ein schnelles Wachstum von Strumen und solitären Schilddrüsenknoten, bei Jugendlichen das plötzliche Auftreten eines Knotens in einer im allgemeinen diffusen Schilddrüsenhyperplasie. Der solitäre, schmerzlose Schilddrüsenknoten, der innerhalb kurzer Zeit an Größe zugenommen hat, ist häufig maligne entartet.

Allgemeine Tumorsymptome treten, wenn überhaupt, spät auf. Oft wird die Diagnose erst bei Metastasierung des Tumors in andere Organe gestellt.

Neben der anamnestischen Angabe eines schnellen Wachstums sind bei der klinischen Untersuchung vor allem eine vermehrte Konsistenz und höckrige Oberfläche von Strumaknoten mit oder ohne lokale Lymphknotenschwellungen, Lymph- und Venenstauungen am Hals, anhaltende Schluckstörungen, Schmerzen am Hals, Ohr oder Hinterkopf Hinweise auf eine maligne Entartung.

11.4 Diagnose der Struma maligna

Die klinische Untersuchung stellt den ersten und in vielen Fällen entscheidenden diagnostischen Schritt dar. Neben Anamnese und Klinik ist der szintigraphisch „kalte" Knoten ein wichtiges Hinweiszeichen für die Möglichkeit einer Malignität. Bei Patienten, bei denen nicht schon allein aufgrund klinischer Überlegungen eine Operationsindikation gestellt wird, hat die Feinnadelbiopsie kalter Schilddrüsenknoten große Bedeutung, da hierdurch ein maligner Prozeß eventuell entdeckt werden kann, der ohne Punktion übersehen worden wäre (s. Farbtafel VII.1). Durch den planmäßigen Einsatz der Zytodiagnostik szintigraphisch „kalter" Schilddrüsenareale ist im Zusammenhang mit genauer Beachtung der anamnestischen und klinischen Verdachtssymptome heute nur noch bei etwa jedem 10. Fall mit einem szintigraphisch „kalten" Areal eine Indikation zur chirurgischen Abklärung zu stellen (s. Abb. 7).

Obligatorische präoperative Untersuchungsmaßnahmen sind neben der Schilddrüsenszintigraphie die Röntgenaufnahme von Trachea, Ösophagus und Thorax, eine Hals-Nasen-Ohren-fachärztliche Untersuchung, eventuell Funktionsanalysen durch Serum-Hormonbestimmungen. Bei Verdacht auf C-Zell-Karzinom, der sich aufgrund des zytologischen Befundes ergeben kann, besitzt die Kalzitonin-Bestimmung für die Erstdiagnose (und auch zur Verlaufsbeobachtung) eine Bedeutung.

11.5 Therapie der Struma maligna

Zur Behandlung des Schilddrüsenneoplasmas stehen uns vier verschiedene Verfahren zur Verfügung: die Operation, die Radiojodbehandlung, die perkutane Strahlentherapie und die zytostatische Therapie.

Die Therapie der Wahl ist *bei allen malignen Strumen* unabhängig vom klinischen Stadium die *möglichst radikale Thyreoidektomie.* Diese wird bei bekannter Diagnose sofort, bei histologischer Zufallsdiagnose in einer zweiten Sitzung innerhalb weniger Wochen durchgeführt. Durch die Operation werden grundsätzlich zwei Ziele verfolgt: einmal die totale Entfernung des Tumors, der nur mikroskopisch erkennbar auch im scheinbar gesunden Parenchym disseminiert sein kann, zum anderen die vollständige Beseitigung des normalen Schilddrüsengewebes und damit Schaffung optimaler Voraussetzungen für eine effektive ^{131}J-Therapie. Falls ein radikaler, kurativer Eingriff nicht mehr durchführbar ist, behält die Operation als Palliativmaßnahme zur Reduktion der Tumormasse trotzdem ihre Berechtigung. Auch bei Vorliegen von Fernmetastasen ist die Operation des Primärtumors (radikal oder palliativ) durchzuführen.

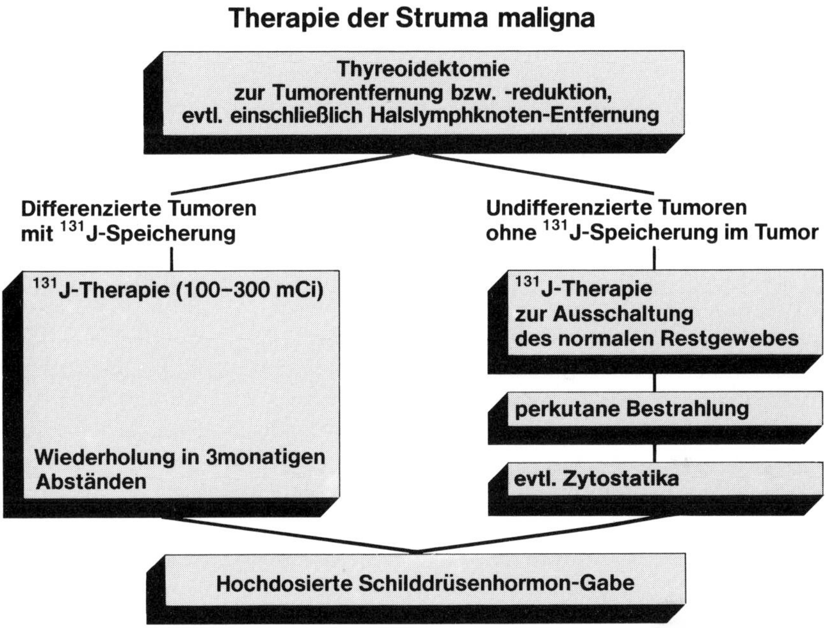

Therapie der Struma maligna

Thyreoidektomie zur Tumorentfernung bzw. -reduktion, evtl. einschließlich Halslymphknoten-Entfernung

Differenzierte Tumoren mit ^{131}J-Speicherung

^{131}J-Therapie (100–300 mCi)

Wiederholung in 3monatigen Abständen

Undifferenzierte Tumoren ohne ^{131}J-Speicherung im Tumor

^{131}J-Therapie zur Ausschaltung des normalen Restgewebes

perkutane Bestrahlung

evtl. Zytostatika

Hochdosierte Schilddrüsenhormon-Gabe

Abbildung 23

Das weitere therapeutische Vorgehen ist in Abbildung 23 schematisch dargestellt. Etwa 2–3 Wochen nach der Operation sollte routinemäßig eine Hals- und Ganzkörper-Szintigraphie unter Ausnutzung einer *therapeutischen ^{131}J-Dosis von 50–150 mCi* zur Aufdeckung speicherfähigen Drüsenparenchyms vorgenommen werden. Bis zu dieser Untersuchung sollte keine Schilddrüsenhormonbehandlung erfolgen. Werden jodspeichernde Herde in Form zurückgelassenen regulären Parenchyms oder von Fernmetastasen entdeckt, so schließen sich ein bis mehrere therapeutische Radiojodgaben bis zur völligen Ausschaltung an (s. Farbtafel VIII.1 und 2).

Die *perkutane Megavoltbestrahlung* wird bei fehlender Jodspeicherung eingesetzt. Erfahrungen über eine erfolgreiche Anwendung von *Zytostatika* in der Behandlung der Schilddrüsenmalignome liegen bisher nur in begrenztem Umfang vor.

Grundsätzlich alle Kranken mit malignem Schilddrüsentumor sollten postoperativ eine *Dauerbehandlung mit Schilddrüsenhormon* erhalten. Im Falle differenzierter Schilddrüsenkarzinome wird durch die Thyroxin-Einnahme von 200–300 µg pro Tag eine zuverlässige Suppression der das Tumorwachstum fördernden TSH-Sekretion angestrebt. Diese Schilddrüsenhormonwirkung allein hat bereits einen hemmenden Effekt auf die Tumorprogredienz. Für alle anderen histologischen Tumorformen gilt eine adäquate Substitution mit Thyroxin nach radikaler Operation zum Ausgleich des Schilddrüsenhormonmangels bei artefizieller Athyreose. Eine Unterbrechung der Thyroxin-Medikation ist lediglich vor einer beabsichtigten Kontroll-Szintigraphie oder Radiojodtherapie gestattet. Hierfür bewährt es sich, die Substitutionstherapie mit L-Thyroxin für 3 Wochen auf eine Substitutionstherapie mit L-Trijodthyronin umzusetzen und das L-Trijodthyronin, das eine wesentlich kürzere biologische Halbwertszeit besitzt, 10 Tage vor einer erneuten therapeutischen Radiojodgabe abzusetzen, um eine ausreichende endogene TSH-Stimulation zu erreichen.

Die *dauerhafte Nachbetreuung* aller Kranken mit bösartigem Schilddrüsentumor sollte am besten in einer speziellen interdisziplinären Zusammenarbeit von Internisten, Endokrinologen, Nuklearmedizinern, Strahlentherapeuten und Chirurgen erfolgen. Innerhalb der ersten 2–3 Jahre sind Kontrolluntersuchungen in 3- bis 4monatigen Abständen durchzuführen. Besteht völlige Rezidivfreiheit, können die Intervalle auf ½–1 Jahr ausgedehnt werden. Bei Auftreten lokaler Rezidive ist von vornherein zunächst über den erneuten, in den meisten Fällen erfolgreichen chirurgischen Eingriff und eine nachfolgende Radiojodtherapie bzw. externe Bestrahlung zu entscheiden. Um auf keinen Fall diagnostische Maßnahmen oder eine Radiojodtherapie zu behindern, ist die Anwendung jodhaltiger Kontrastmittel oder Medikamente kontraindiziert.

Die Prognose der einzelnen Schilddrüsenkarzinome ist sehr unterschiedlich. Nach 5 Jahren leben im Mittel noch 90 % der Patienten mit papillärem, 85 % der mit follikulärem, 50 % der mit C-Zell-Karzinom und nur 1 % der mit anaplastischem Karzinom. Bei diesen Überlebensraten spielt das Alter des Patienten und die Ausbreitung des Tumors zum Zeitpunkt der ersten therapeutischen Maßnahme eine wesentliche Rolle. Um so wichtiger ist es, ein Schilddrüsenmalignom frühzeitig zu erkennen.

12   Schlußbemerkungen

Erkrankungen der Schilddrüse erstrecken sich meist über lange Zeiträume und können immer wieder auftreten. Da eine echte Heilung oft nicht erzielt wird, sind Kontrollen über viele Jahre auch nach Wiederherstellung eines „Normalzustandes" notwendig. Jede Schilddrüsenerkrankung erfordert daher eine regelmäßige ärztliche Betreuung. Hierfür stehen heute viele diagnostische und therapeutische Maßnahmen zur Verfügung, so daß jedem Patienten die für ihn optimale Diagnostik und Therapie gewährt werden kann.

Neben den großen Fortschritten auf dem Gebiet der Diagnostik und Verlaufsuntersuchung von Schilddrüsenerkrankungen hat in den letzten Jahren aufgrund der zunehmenden Einsicht in die pathophysiologischen Bedingungen von Schilddrüsenerkrankungen die Verordnung von Schilddrüsenhormonen große Bedeutung gewonnen. Die in den synthetischen Präparaten enthaltenen Schilddrüsenhormone sind identisch mit den körpereigenen Hormonen und deshalb auch bei jahrelanger Einnahme unschädlich. Eine Gewöhnung tritt nicht ein. Nach dem derzeitigen Stand der Forschung ist einer Hormontherapie mit synthetisch reinem L-Thyroxin der Vorzug zu geben, da eine Behandlung mit diesem Hormonpräparat am ehesten die physiologischen Verhältnisse nachahmt. *L-Thyroxin wird zur Substitution (Hypothyreose, Athyreose) und zur Suppression des Thyreoidea-stimulierenden Hormons TSH (blande Struma, Verhinderung eines strumigenen Effektes bei Thyreostatika-Gabe, nach Operationen, nach Radiojodbehandlung) eingesetzt. Für beide therapeutischen Ziele gelten folgende Richtlinien:*
a) *Einschleichende Dosierung,*
b) *Langzeittherapie und*
c) *Einstellungskontrolle durch klinischen Befund, Schilddrüsenhormonkonzentrationen im Serum* sowie gegebenenfalls durch den TRH-Test.

Die Behandlung mit Schilddrüsenhormon wird im allgemeinen ausgezeichnet vertragen. Nebenwirkungen sind außergewöhnlich selten, vor allem bei der Monotherapie mit L-Thyroxin.

Schilddrüsenhormonpräparate beeinträchtigen nicht die Wirkung anderer Medikamente und sollten vor allem auch in der Schwangerschaft, eventuell sogar in höherer Dosierung verabreicht werden. Auch nach Erreichen eines Normalzustandes ist in den meisten Fällen eine Fortführung der Schilddrüsenhormonbehandlung angezeigt.

Eine gute Information der Patienten ist die beste Basis für eine erfolgreiche Dauerbehandlung mit Schilddrüsenhormon. Da bei der therapeutischen Anwendung von Schilddrüsenhormon bei gleicher Dosierung die Wirkung von Patient zu Patient oft unterschiedlich ist, sind regelmäßige klinische Kontrollen und Bestimmungen der schilddrüsenspezifischen Laborparameter im Einzelfall für die optimale Dosierung erforderlich.

Literaturverzeichnis

Für den interessierten Leser ist eine kleine Auswahl der wichtigsten neueren deutschsprachigen Publikationen auf dem Gebiet der Schilddrüsendiagnostik und -therapie angefügt.

I. Allgemeines

Schilddrüse 1975, hrsg. von HERRMANN, J., H. L. KRÜSKEMPER, B. WEINHEIMER, Georg Thieme Verlag, Stuttgart 1977

Schilddrüse 1977, hrsg. von WEINHEIMER, B., I. JUNG und B. GLOEBEL, Georg Thieme Verlag, Stuttgart 1979

Rationale Diagnose von Schilddrüsenerkrankungen, hrsg. von R. HÖFER, H. Egermann Verlag, Wien 1978

Die Schilddrüse, Diagnostik und Therapie ihrer Krankheiten, von E. KLEIN, 2. neubearbeitete Auflage, Springer Verlag, Heidelberg 1978

Klinik der Inneren Sekretion, 3. neu bearbeitete Auflage, hrsg. von A. LABHART, Springer Verlag, Heidelberg 1978

Ärztlicher Rat für Schilddrüsenkranke, von P. PFANNENSTIEL, Georg Thieme Verlag, Stuttgart 1977, 2. Auflage im Druck (1980)

Diagnostik von Schilddrüsenerkrankungen, von P. PFANNENSTIEL, Byk-Mallinckrodt, Radiopharmazeutika Diagnostika, 6057 Dietzenbach-Steinberg, 2. Auflage 1976, 3. Auflage im Druck (September 1979)

Schilddrüsenerkrankungen, von D. REINWEIN und K. HACKENBERG, Klinik der Gegenwart, Band II, Neufassung 1975

Klassifikation der Schilddrüsenkrankheiten – Sektion Schilddrüse der Deutschen Gesellschaft für Endokrinologie – E. KLEIN, J. KRACHT, H. L. KRÜSKEMPER, D. REINWEIN, P. C. SCRIBA, Dtsch. med. Wschr. 98, 2249–2251 (1973)

II. Spezielle Literatur
Kapitel 3: Untersuchung der Schilddrüsenfunktion

Methoden und ihr stufenweiser Einsatz bei der Diagnostik von Schilddrüsenerkrankungen; Empfehlungen der Sektion Schilddrüse der Deutschen Gesellschaft für Endokrinologie, zusammengestellt von P. PFANNENSTIEL, W. BÖRNER, M. DROESE, D. EMRICH, F. ERHARDT, K. HACKENBERG, H. G. HEINZE, J. HERRMANN, R. D. HESCH, K. HORN, F. A. HORSTER, K. JOSEPH, E. KLEIN, H. L. KRÜSKEMPER, A. VON ZUR MÜHLEN, E. OBERHAUSEN, D. REINWEIN, K. H. RUDORFF, H. SCHATZ, H. SCHLEUSENER, P. C. SCRIBA, K. W. WENZEL. Intern. Welt, 2 (3) 99–106 (1979). Der Nuklearmediziner 2, 52–64 (1979). Endokrinologie-Informationen 3 (2), 38–50 (1979). Der Internist (Mitteilungen des Berufsverbandes Deutscher Internisten) 20, 6: 21–28 (1979)

Stufendiagnotik von Schilddrüsenerkrankungen, herausgegeben von der Kassenärztlichen Vereinigung Westfalen-Lippe, 1978

BÖRNER, W. und CHR. REINERS, *Umfang und Stellenwert der nuklearmedizinischen Funktionsdiagnostik mit radioaktiven Jodisotopen,* Der Nuklearmediziner 2, 68–77 (1979)

DROESE, M.: *Methodische Gesichtspunkte und Treffsicherheit der Feinnadelpunktion der Schilddrüse,* Der Nuklearmediziner 2, 111–119 (1979)

ERHARDT, F.: *Was ist bei der TSH-Bestimmung zu beachten?* Der Nuklearmediziner 2, 24–26 (1979)

HERRMANN, J.: *Diagnostische Bedeutung der freien Schilddrüsenhormone im Serum,* Intern. Welt 2 (4), 136–144 (1979)

HORN, K., C. R. PICKARDT, P. C. SCRIBA: *Notwendigkeit der Durchführung von sog. Schilddrüsenhormon-Bindungstesten, Vorteile der TBG-Bestimmung,* Der Nuklearmediziner 2, 17–23 (1979)

JOSEPH, K.: *Statische, dynamische und quantifizierte Schilddrüsenszintigraphie,* Der Nuklearmediziner 2, 83–101 (1979)

OBERHAUSEN, E.: *Praktische Bedeutung der Jodidclearance,* Der Nuklearmediziner 2, 78–82 (1979)

RUDORFF, K. H., J. HERRMANN, F. A. HORSTER, H. L. KRÜSKEMPER: *Verfahren und methodische Voraussetzungen der Schilddrüsenhormonbestimmung im Serum,* Der Nuklearmediziner 2, 2–16 (1979)

SCHATZ, H.: *Methoden und Wertigkeit der Bestimmung von Schilddrüsenantikörpern,* Der Nuklearmediziner 2, 40–51 (1979)

WENZEL, K. W.: *Überlegenheit des TRH-Tests als rationelle und rationale Schilddrüsendiagnostik,* Der Nuklearmediziner 2, 37–39 (1979)

WENZEL, K. W.: *Der TRH-Test zur rationellen und rationalen Schilddrüsendiagnostik.* Dtsch. med. Wschr. 104, 229–234 (1979)

SCHLEUSENER, H.: *Diagnostische Verfahren zur Erkennung der Hyperthyreose und der „endokrinen" Orbitopathie,* Intern. Welt 2, 48 (1979)

Kapitel 4: Prinzipien der Therapie mit Schilddrüsenhormonen

HERRMANN, J.: *Behandlung mit Schilddrüsenhormonen,* Intern. Welt 1 (1), 23–30 (1978)

PFANNENSTIEL, P.: *Indikationen und Langzeitergebnisse der Thyroxin-Behandlung bei Schilddrüsenerkrankungen,* Therapiewoche 29, 3865–3875 (1979)

WENZEL, K. W.: *Behandlung mit Schilddrüsenhormonen,* Therapiewoche 28, 5084–5092 (1978)

Kapitel 5: Blande Struma

BÜRGI, A.: *Indikationen und Verfahren der konservativen Kropfbehandlung,* Helv. chir. Acta 44, 709–718 (1977)

HORSTER, F. A.: *Diagnostik und Therapie der blanden Struma,* Therapiewoche 27, 4681–4684 (1977)

SCRIBA, P. C.: *Jodsalzprophylaxe,* Therapiewoche 27, 4687–4693 (1977)

SCRIBA, P. C.: *Prophylaxe, Diagnostik und Therapie der blanden Struma.* Med. Welt (N. F.) 29, 1075–1079 (1978)

RÖHER, H. D.: *Schilddrüsenoperationen,* Therapiewoche 27, 4751–4754 (1977)

Kapitel 6: Hypothyreose

HELGE, H.: *Früherkennung und -behandlung der konnatalen Hypothyreose,* Dtsch. med. Wschr. 103, 801–802 (1978)

KÖNIG, M. P.: *Hypothyreose – Klinik und Therapie,* Therapiewoche 27, 4732–4741 (1977)

PFANNENSTIEL, P.: *Diagnostik bei Schilddrüsenunterfunktion,* Krankenhausarzt 51, 574–581 (1978)

HACKENBERG, K., D. REINWEIN: *Diagnose des Myxödem-Koma, Therapie des Myxödem-Koma,* Dtsch. med. Wschr. 103, 1224 und 1225 (1978)

HARNACK, G. A. v.: *Angeborene Schilddrüsenunterfunktion,* Der informierte Arzt 6, 8 (1978)

RIDGWAY, E. C., F. MALOOF, D. D. FEDERMAN: *Rationale Therapie der Schilddrüsenunterfunktion,* Internist 18, 221–228 (1977)

WIEBEL, J., N. KUHN, N. STAHNKE, R. P. WILLIG: *Neuere Gesichtspunkte zur Behandlung der Hypothyreose und „blanden" Struma bei Kindern und Jugendlichen,* Mschr. Kinderheilk. 124, 667–672 (1976)

Kapitel 7: Basedow-Hyperthyreose

BÖRNER, W.: *Diagnostik und Therapie von Hyperthyreose und endokriner Ophthalmopathie,* Therapiewoche 27, 4694–4711 (1977)

Therapie der Schilddrüsenüberfunktion, Ergebnisse der Arbeitstagung der Sektion Schilddrüse der Deutschen Gesellschaft für Endokrinologie am 2. und 3. 12. 1976, zusammengestellt von D. EMRICH, V. BAY, P. FREYSCHMIDT, K. HACKENBERG, J. HERRMANN, A. VON ZUR MÜHLEN, C. R. PICKARDT, C. SCHNEIDER, P. C. SCRIBA, P. STUBBE, Dtsch. med. Wschr. 102, 1261–1266 (1977)

LABHART, A., M. ROTHLIN: *Beta-Rezeptorenblocker bei Hyperthyreose,* Internist 19, 538 (1978)

HERRMANN, J.: *Neuere Aspekte in der Therapie der thyreotoxischen Krise,* Dtsch. med. Wschr. 103, 166 (1978)

HORSTER, F. A.: *Zur Diagnostik und Therapie der Hyperthyreose in der Praxis,* Med. Welt 29, 1069 (1978)

REINWEIN, D.: *Therapie und Therapiekontrolle der Hyperthyreose,* Therapiewoche 28, 9865 bis 9873 (1978)

RÖHER, H. D.: *Morbus Basedow – Chirurgische Behandlung,* Langenbecks Arch. Chir. 347, 137–144 (1978)

RÖSLER, H.: *Radiojodbehandlung beim Morbus Basedow,* Schweiz. Med. Wschr. 106, 1215–1218 (1976)

SCHLEUSENER, H.: *Pathogenese des Morbus Basedow,* Intern. Welt 1, 173 (1978)

Kapitel 8: Autonomes Adenom

EMRICH, D.: *Autonomes Schilddrüsenadenom und kalter Knoten – Aktive Therapie oder abwartendes Beobachten?* Operative Therapie, Internist 20, 138–141 (1979)

HEINZE, H. G., C. R. PICKARDT, K. HORN, G. SWOBODA: *Diagnostik und Therapie des autonomen Adenoms der Schilddrüse,* Therapiewoche 27, 4712–4723 (1977)

HORSTER, F. A.: *Autonomes Schilddrüsenadenom und kalter Knoten – Aktive Therapie oder abwartendes Beobachten?* Konservative Therapie, Internist 20, 142–149 (1979)

Kapitel 9: Endokrine Orbitopathie

REINWEIN, D., O. FISCHEDICK, F. A. HORSTER, R. PICKARDT, H. SCHLEUSENER, K. ULLERICH, K. SCHÜRMANN, S. WENDE: *Diagnostik und Therapie der endokrinen Ophthalmopathie* Dtsch. med. Wschr. (im Druck)

SCHLEUSENER, H.: *Behandlung der „endokrinen" Orbitopathie,* Therapiewoche 28, 5109–5112 (1978)

Kapitel 10: Thyreoiditis

HACKENBERG, K.: *Diagnostik und Therapie der Thyreoiditis,* Med. Klinik 73, 1499–1506 (1978)

HERRMANN, J.: *Diagnostik und Therapie der Schilddrüsenentzündung,* Therapiewoche 27, 4724–1506 (1978)

Kapitel 11: Struma maligna

Diagnostik und Therapie des Solitärknotens der Schilddrüse, von BÖRNER, W., D. EMRICH, F. A. HORSTER, E. KLEIN, P. PFANNENSTIEL, D. REINWEIN (Ergebnisse der Arbeitstagung der Sektion Schilddrüse der Deutschen Gesellschaft für Endokrinologie, Würzburg 1976), Med. Welt 28 (N. F.), 721–727 (1977)

BÖRNER, W., R. EICHNER, CHR. REINERS, G. RUPPERT, R. SCHAFFHAUSER, K. SEYBOLD: *Zur Diagnostik und Therapie des Schilddrüsenmalignoms,* Therapiewoche 28, 9272–9291 (1978)

HEINZE, H. G.: *Regeln zur Therapie von Schilddrüsenkarzinomen,* Intern. Welt 1, 320 (1978)

HEINZE, H. G.: *Primäre und sekundäre Diagnostik bei Schilddrüsenkarzinomen,* Der Nuklear-mediziner 2: 102–110 (1979)

KLEIN, E., H. G. HEINZE, G. HOFFMANN, D. REINWEIN, C. SCHNEIDER: *Therapie der Schild-drüsenmalignome,* Dtsch. med. Wschr. 101, 835 (1976)

PFANNENSTIEL, P.: *Der maligne Solitärknoten der Schilddrüse,* Med. Welt 27 (N.F.), 2119–2125 (1976)

REINWEIN, D.: *Diagnostik und Therapie der Schilddrüsenmalignome,* Therapiewoche 27, 4742–4750 (1977)

RÖHER, H. D.: *Die Struma maligna, Praxis der Krebsbehandlung in der Chirurgie,* Empfehlungen der Deutschen Gesellschaft für Chirurgie, Verlegerbeilage K 5 zu den Mitteilungen der Deut-schen Gesellschaft für Chirurgie, Heft 3, 1977

WACHA, H., E. UNGEHEUER, H. BERNER: *Zur Prognose der Struma maligna,* Med. Klinik 73, 621–625 (1978)

15–34/7